MITOLOGIA

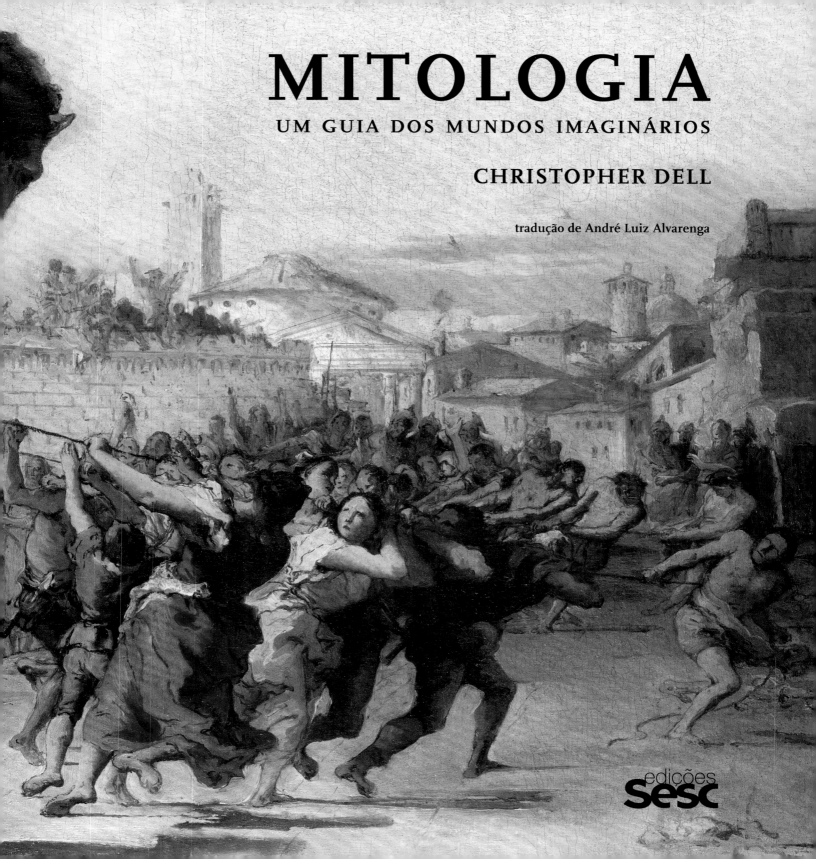

MITOLOGIA

UM GUIA DOS MUNDOS IMAGINÁRIOS

CHRISTOPHER DELL

tradução de André Luiz Alvarenga

edições sesc

PARA ROSA E ALEXANDRA

Anterrosto Ilustração do século XIX, de um vidente descobrindo Asgard, a morada dos deuses nórdicos.
Frontispício Giovanni Domenico Tiepolo, *Procissão do Cavalo de Troia, c.* 1760. National Gallery, London.
Página ao lado (da esquerda para a direita) Antiga escultura suméria da cabeça de um touro, terceiro milênio a.C.; máscara zapoteca de um deus, México, 150 a.C. - 100 d.C.; serpente de duas cabeças, México, séculos XV-XVI d.C.

Publicado originalmente no Reino Unido em 2012 por
Thames & Hudson Ltd, 181a High Holborn, London WC1V 7QX
Publicado por acordo com Thames & Hudson, Londres
Copyright © 2012 Christopher Dell
Edição publicada pela primeira vez no Brasil em 2014 pelas Edições Sesc São Paulo
Edição brasileira © 2014 Edições Sesc São Paulo
2ª reimpressão © 2020 Edições Sesc São Paulo

Preparação de texto   Baby Abrão / Tikinet
Revisão de texto   Hamilton Fernandes e Pedro Barros
Diagramação   Tikinet Edição Ltda.
Impressão e acabamento   Reliance Printing (Shenzhen) Co. Ltd, China

D3571m   Dell, Christopher
Mitologia: um guia dos mundos imaginários / Christopher Dell;
tradução André Luiz Alvarenga. – São Paulo: Edições Sesc São
Paulo, 2020. –
352 p. il.: fotografias.

ISBN 978-85-7995-096-4

1. Mitologia. 2. Mundos imaginários. I. Título.
II. Alvarenga, André Luiz.
CDD 292

SERVIÇO SOCIAL DO COMÉRCIO
Administração Regional no Estado de São Paulo

Presidente do Conselho Regional
Abram Szajman
Diretor Regional
Danilo Santos de Miranda

Conselho Editorial
Ivan Giannini
Joel Naimayer Padula
Luiz Deoclécio Massaro Galina
Sérgio José Battistelli

Edições Sesc São Paulo
Gerente Iã Paulo Ribeiro
Gerente adjunta Isabel M. M. Alexandre
Coordenação editorial Francis Manzoni, Clívia Ramiro, Cristianne Lameirinha
Produção editorial Rafael Fernandes Cação, Thiago Lins
Coordenação gráfica Katia Verissimo
Produção gráfica Fabio Pinotti
Coordenação de comunicação Bruna Zarnoviec Daniel

Edições Sesc São Paulo
Rua Serra da Bocaina, 570 – 11º andar
03174-000 – São Paulo SP Brasil
Tel. 55 11 2607-9400
edicoes@edicoes.sescsp.org.br
sescsp.org.br/edicoes
f y o d /edicoessescsp

SUMÁRIO

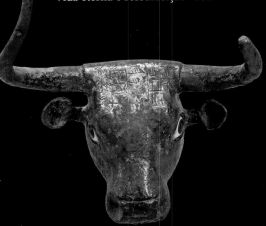
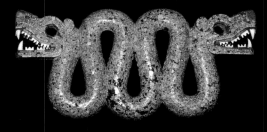

INTRODUÇÃO

"O mito é a base da vida; é o padrão atemporal, a fórmula piedosa para a qual a vida flui quando reproduz seus traços a partir do inconsciente".

THOMAS MANN

O desejo de contar histórias é um aspecto fundamental da condição humana. Quando ele se junta à necessidade inata de dar sentido ao ambiente que nos cerca e de entender as origens das coisas, o resultado é a mitologia. Isso não significa dizer que a humanidade seja o foco principal dos mitos; seu verdadeiro atrativo está nos deuses vívidos, fantásticos, que criam mundos, moldam montanhas, organizam as estrelas e enchem os oceanos. Depois de criar o cenário, eles o povoam com seres humanos e outros animais, concedendo à humanidade os benefícios da civilização e estabelecendo as leis naturais básicas do nosso mundo.

Que essas histórias são universais e atemporais é evidente pelo nosso contínuo interesse em mitologia. Geração após geração vem apreciando as histórias da batalha entre Teseu e o Minotauro, dos feitos heroicos de Gilgamesh ou dos eventos narrados no grande épico indiano *Mahabharata*. Thor protagoniza filmes em Hollywood e a lenda do rei Artur gerou toda uma indústria. Uma das razões por trás desse interesse é que as mitologias estão repletas de emoções bem humanas: amor e ódio, coragem e estupidez, maldade e bondade. D.H. Lawrence descreveu o mito como sendo "a tentativa de narrar toda uma experiência humana, cujo propósito é demasiado profundo, indo fundo demais no sangue e na alma, para uma explicação ou descrição de natureza psicológica".

Como Lawrence sugere, mitos raramente são apenas uma forma de entretenimento. Eles são mais urgentes, mais importantes do que a mera narrativa: incorporam elementos que conduzem a humanidade de volta às suas origens. Uma parte importante da mitologia é a cosmogonia, ou a explicação de como o universo passou a existir. Assim como o Antigo Testamento, que começa com as palavras "No princípio", a maioria das mitologias admite uma época em que o mundo não existia, de desordem antes da ordem. Os mitos procuram explicar conceitos básicos,

PÁGINA ANTERIOR *As estrelas estão intimamente associadas à mitologia. Estes estranhos seres guardam relação com os signos do zodíaco.*
ACIMA *O mito de Pandora explica como os humanos tornaram-se humanos, com todos os seus defeitos.*

tais como a existência do bem e do mal, o (aparente) movimento do Sol, a mudança das estações e as diferenças entre os sexos. Mitos locais são invocados para explicar as origens de montanhas e rios. Um dos textos mitológicos mais antigos, a *Epopeia de Gilgamesh*, oferece interpretações sobre assuntos então misteriosos como por que as serpentes trocam de pele e por que a carne não amarzenada apodrece.

No coração de todos os mitos existe a noção de um reino sobrenatural que, de algum modo, encerra uma sabedoria maior – a verdade, talvez, de como e por que chegamos aqui. O homem é admitido apenas raramente nesse mundo sobrenatural, reduto particular dos deuses – figuras fundamentais para as mitologias do mundo, trazendo o universo à existência e muitas vezes criando homens com suas próprias mãos. O filósofo grego Xenófanes argumentou, no século V a.C., que todos os seres criam deuses à sua própria imagem; as divindades da mitologia grega mostram um claro comportamento humano, com suas brigas, ciúmes tolos e amores mal resolvidos.

É importante lembrar, no entanto, que os deuses gregos – como todos os outros – também desempenhavam uma importante função religiosa, ainda que esse papel nos pareça obscuro e distante hoje em dia. A distinção entre mito e religião é sutil, mas não pode ser ignorada. "Mitologia é como chamamos a religião dos outros", escreveu Joseph Campbell, um estudioso norte-americano que fez da religião comparada a obra de sua vida. Mark Twain descreveu a Bíblia como "uma multidão de fábulas e tradições, mera mitologia". O escocês William Robertson Smith, estudioso da Bíblia no século XIX, procurou distinguir a religião antiga da moderna, visualizando esta como fundada na crença, enquanto a antiga foi estruturada em rituais. A relação é bem mais complicada, mas poder-se-ia argumentar que "religião" implica a crença sincera em um determinado conjunto de histórias ou eventos que tenham sido aprovados por uma autoridade, ou mesmo divinamente ordenados. A partir desse núcleo de histórias surgem os rituais, mantendo as histórias vivas, reforçando os pontos-chave da crença nas mentes dos fiéis.

Talvez a distinção entre religião e mitologia possa ser melhor resumida identificando-se a religião de hoje como a mitologia de amanhã. Afinal, os gregos antigos adoravam e faziam sacrifícios a seus deuses, enquanto as histórias que se espalhavam sobre eles continham mensagens morais essenciais ao funcionamento da sociedade. O que torna as pessoas capazes de acreditar apaixonadamente em um conjunto de mitologias, enquanto rejeitam outras com veemência, é apenas parte do que nos torna humanos. Qualquer livro sobre mitologia irá discutir elementos de religiões vivas, incluindo o budismo, o cristianismo, o islamismo e o hinduísmo,

ACIMA *O herói Teseu, filho de Poseidon, atravessa a fronteira entre o mortal e o divino. Aqui, ele está visitando o palácio submarino de Anfitrite (que está sentada).*
ABAIXO *Xolotl, o deus asteca da morte que conduzia almas ao mundo inferior.*

além de uma série de crenças nativo-americanas e um grande número de folclores locais (por exemplo, no Japão, na China, na Coreia e na Austrália) que ainda são amplamente seguidos. É importante notar que a discussão de tais crenças no contexto da mitologia não sugere que sejam falsas, mas simplesmente que, sob muitos aspectos, elas refletem temas mais amplos – temas que podem dizer algo importante sobre a natureza humana. Bons exemplos são as histórias de autossacrifício, nascimento virginal, santos, dragões e demônios que parecem ser universalmente comuns. Omitir aspectos importantes das religiões vivas seria apresentar um quadro incompleto.

Este livro difere de outros estudos de mitologia ao considerar todas as principais tradições mitológicas lado a lado: celta, greco-romana, nórdica, budista, oriental, nativo-americana, centro e sul-americana, africana e do Oriente Médio. Algumas vezes essas categorias, definidas por conveniência, escondem muitas vertentes (potencialmente conflitantes): as três mitologias "orientais" da China, Japão e Coreia diferem umas das outras em áreas cruciais, enquanto o termo "africana" agrupa centenas de tradições distintas. Da mesma forma, enquanto a mitologia romana é baseada na mitologia grega, a relação entre as duas é muitas vezes mais complicada do que simplesmente substituir Júpiter por Zeus e Diana por Ártemis.

Uma vez que as mitologias abordam nossas experiências mais fundamentais, diferentes tradições mitológicas frequentemente se sobrepõem. Mitos também foram difundidos por conquistas e comércio. Muito se escreveu, por exemplo, sobre o modo como a mitologia celta se desenvolveu a partir da cultura indo-europeia, mais ampla; também é verdade que os celtas raramente produziram imagens de seus deuses, até que se submeteram ao domínio romano. Por causa dessas relações, este livro é organizado por temas e não por culturas, o que permitirá ao leitor fazer comparações. Em vez de acompanhar o desenvolvimento dos mitos cronologicamente, o volume explora temas recorrentes conforme eles surgem mundo afora: da significância de substâncias simbólicas – sangue, por exemplo – até a maneira pela qual diferentes mitologias explicam nossas origens.

Certas e notáveis semelhanças entre as diferentes tradições mitológicas inevitavelmente levaram alguns estudiosos a presumir que elas compartilhavam uma origem comum, seja cultural ou psicológica. No século XIX, escritores começavam a olhar com mais atenção esses elementos comuns, ainda que suas conclusões fossem, às vezes, adaptadas para atender a seus próprios projetos: por exemplo, a

ACIMA *Este amuleto egípcio do Olho de Hórus sugere que os humanos criam deuses à sua própria imagem.*
ABAIXO *O céu noturno contém o esboço de várias histórias mitológicas.*

primeira tradução para o inglês do mito da criação mesopotâmico, *Enuma Elish*, foi intitulada *O relato caldeu do Gênesis* por causa da história do dilúvio que a obra contém.

O conceito de arquétipo – o tema recorrente, a história universal – é, portanto, de extrema importância. *The Golden Bough* (O ramo de ouro), de J. P. Frazer, publicado em 1890, é largamente reconhecido como um trabalho inovador nesse campo. Fenômeno editorial quando chegou às livrarias, a obra logo caiu em desaprovação entre os acadêmicos que tinham reservas acerca dos métodos de Frazer. Todavia, sua análise meticulosa de centenas de mitos e crenças ao redor do mundo lançou as bases para futuras gerações de estudantes e encorajou uma abordagem mais científica e antropológica da questão. (Curiosamente, a obra causou certo escândalo quando publicada pela primeira vez, porque se atreveu a incluir uma discussão sobre Cristo ao lado de diversas religiões mais "primitivas", efetivamente "relegando" o cristianismo ao *status* de mito.) O psicanalista Carl Jung também investigou mitos como possíveis reflexões de um inconsciente coletivo compartilhado entre os humanos.

No entanto, o trabalho mais citado no campo da mitologia comparada é *O herói de mil faces* (1949), de Joseph Campbell. Nesse livro de grande prestígio, Campbell explorou a ideia de que todos os mitos heroicos têm um ancestral comum, que ele apelidou de "monomito", efetivamente pavimentando o caminho de todo herói. Essa abordagem saiu de moda, mas permanece o fato de que as mitologias inegavelmente possuem certas metáforas comuns. Algumas são justificáveis: a importância simbólica do sangue nas culturas asteca, cristã e sul-africana é facilmente explicada pelo fato de que o sangue corre em todas as nossas veias. Mas como entender as semelhanças entre o dilúvio de Noé e os dilúvios associados a Deucalião e Gilgamesh? Em cada caso, um ser ou seres divinos consideraram a humanidade pecaminosa ou irritante e decidiram exterminá-la. O arco-íris é um fenômeno singular que nos tempos antigos exigia, ainda que suscitasse, uma explicação simples.

O ouro parece ter fascinado os povos do mundo inteiro. Histórias de nascimentos virginais são encontradas com frequência, e gêmeos são muitas vezes dotados de significado especial. A rivalidade entre irmãos surge e ressurge. Talvez isso nos queira dizer que os mitos são apenas a vida cotidiana elevada a níveis heroicos. Afinal, quem nunca se desentendeu com um irmão ou com uma irmã?

Não devemos ignorar o valor político ou pragmático da mitologia. O ciclo mítico de *Kalevala* foi compilado somente no século XIX, a fim de fortalecer o nacionalismo finlandês. Os iorubás da Nigéria ainda hoje invocam o *itan* – um termo coletivo abrangendo mitologia, convicções religiosas, canções e história – para resolver disputas. É nesse ponto que a mitologia se torna muito real. Alguns podem entender a história da Arca de Noé, do Antigo Testamento, como puramente mitológica, enquanto outros a consideram verdade literal.

Assim como na religião, contudo, raramente há total ortodoxia. Por exemplo, a mitologia grega admite mais de um relato sobre o início da humanidade. A sequência de eventos muda a cada repetição das histórias, uma reinvenção contínua. A mitologia mesopotâmica, que se desenvolveu ao longo de aproximadamente dois milênios, sofreu, de modo semelhante, alterações durante esse período, dando prioridade a deuses particulares em determinadas cidades. Na China e no Japão, encontramos uma indefinição constante da linha divisória entre mito e fato histórico – os antigos historiadores desses países não faziam distinção entre os dois. Essas culturas mencionam imperadores que podem ter existido, mas muitos dos feitos atribuídos a eles provavelmente nunca ocorreram.

Muitos séculos mais tarde, os cristãos procuraram, em mitos pagãos, sinais de sua própria religião. Os mitos nórdicos incorporaram elementos do mito cristão – e em inglês, pelo menos, providenciaram um nome para o mundo inferior cristão, o inferno (*hell*, da deusa nórdica Hela). Apesar de tentarmos dividir os mitos em tradições ordenadas e independentes, a verdade é que eles estão, ou pelo menos estiveram, constantemente evoluindo e se entrelaçando. A esse respeito, um dos exemplos mais intrigantes é a tradição na qual os deuses do vento no Japão são tipicamente retratados carregando sacos de vento. O mesmo tema é encontrado na mitologia grega antiga e quase certamente chegou ao Extremo Oriente através das conquistas de Alexandre, o Grande. Uma ideia agradável que prenda a imaginação pode persistir por bastante tempo na mente.

Contribui para aumentar a confusão o fato de que mitologias distintas estão documentadas em variados graus. No caso da mitologia clássica, contamos com uma vasta gama de fontes literárias e artísticas, mas a mitologia mesopotâmica é encontrada em textos dispersos. Apesar da enorme quantidade de artefatos que sobreviveram aos milhares de anos da antiga cultura egípcia, conhecemos muito pouco de sua mitologia, e o que realmente sabemos nos chega principalmente de fontes gregas e romanas muito mais recentes. A mitologia celta é talvez a mais nebulosa, uma vez que quase nenhum texto ou inscrição sobreviveu, e dependemos dos mitos irlandeses e galeses para ter uma ideia do que foi outrora uma cultura pan-europeia. De maneira semelhante, a mitologia africana permanece obscura, dependente quase por completo das tradições orais. Nosso conhecimento do mito nórdico – as histórias de Thor e Odin, a Serpente de Midgard e Valhala – vem basicamente do conteúdo das eddas prosaica e poética do século XIII, coletadas da tradição oral pelo escritor islandês Snorri Sturluson.

E os mitos nos dias de hoje? Existe espaço para novos mitos, ou vivemos em uma sociedade excessivamente dominada

ACIMA *Este imaginário do universo mitológico nórdico foi composto a partir de várias fontes. Mitologias raramente são muito ortodoxas.* ABAIXO *Nosso conhecimento da mitologia celta vem principalmente de objetos como o Caldeirão de Gundestrup, artefato da Idade do Ferro.*

pela ciência? Os arqueólogos do futuro poderão concluir que um dos mitos mais importantes do final do século XX e início do século XXI foi o filme *Guerra nas estrelas*; seus personagens foram imortalizados em estatuetas e inúmeros livros detalharam suas façanhas. Além disso, eles irão encontrar evidências dessas histórias no mundo inteiro. Os arqueólogos podem até chegar à conclusão de que a narrativa é composta de partes canônicas e não canônicas.

Tais reflexões aparentemente descontraídas escondem um ponto importante. George Lucas deixou claro que uma das principais influências de *Guerra nas estrelas* foi a obra de Campbell, *O herói de mil faces*. E *Guerra nas estrelas*, de fato, apresenta muitos dos arquétipos que são discutidos no livro: gêmeos separados no nascimento, redenção, autossacrifício, missões, o confronto entre o bem e o mal, cidades ocultas, segredos e – é claro – toda uma legião de monstros para o herói ou os heróis liquidarem a intervalos regulares. Ocorre também a revelação gradual de sabedoria, até que o herói, Luke Skywalker, aprende a aceitar seu destino, ao final, matando o pai e cumprindo uma profecia.

O presente volume é dividido em oito seções que exploram o que torna os mitos tão interessantes para nós. Começa com um estudo do universo sobrenatural – fundamental para todos os tipos de mitologia –, examinando suas origens, os vários tipos de seres que o habitam e como ele interage com o mundo dos humanos. (Essa relação é essencial para a mitologia, porque é o elemento sobrenatural que apresenta a magia e a imprevisibilidade que fazem os mitos tão sedutores.)

O segundo capítulo analisa como a mitologia tem sido usada para explicar a geografia e a topologia do mundo. Os seres humanos são primordiais nas duas partes seguintes, que exploram histórias relacionadas às nossas origens e ao nosso desenvolvimento. Depois há um capítulo sobre o importante papel dos animais no mito e outro sobre substâncias, materiais e objetos simbólicos. (É fascinante observar como as mesmas substâncias assumem significados diversos nas diferentes culturas.) Os dois capítulos finais abordam com mais profundidade os heróis mitológicos e algumas de suas principais missões.

Este livro examina a mitologia principalmente através de suas imagens, que foram reunidas de todas as partes do mundo. Algumas vezes, elas são contemporâneas das crenças que retratam – vasos gregos antigos, estatuetas mesopotâmicas, gravuras medievais, pinturas chinesas em seda – e, em outras, são muito mais recentes. Esse método é perfeitamente adequado à natureza da mitologia, que, como um rápido olhar no número de livros publicados sobre o assunto nos mostra, é algo muito vivo. É extraordinário ver gravuras da Idade Média retratando cenas da mitologia antiga, o que ilustra o duradouro poder inspirador do mito; histórias são contadas e reinventadas, acrescentando, no processo, uma camada extra de magia no nosso dia a dia.

PÁGINA ANTERIOR *Yama, o Senhor da Morte no budismo, segura a Roda da Vida; suas seis divisões representam os reinos dos deuses, titãs, seres humanos, animais, fantasmas famintos e demônios.* ACIMA *O deus macaco hindu, Hanuman, carrega uma montanha para seu mestre moribundo.* ABAIXO *A versão birmanesa de Vishnu, retratado sobre sua montaria, Garuda.*

1

O
UNIVERSO
SOBRENATURAL

No coração de todas as mitologias do mundo existe a crença em um reino sobrenatural, além de nossas vidas cotidianas prosaicas. Esse "outro mundo" normalmente precede a humanidade e é a fonte de todos os seres, avivando o universo e dando significado à nossa existência. É esse domínio sobrenatural que dá origem aos deuses, monstros e magia que, juntos, formam a base de todas as mitologias.

Quase todas elas se voltam à cosmologia – de onde vem nosso universo, como se originou e até mesmo como poderá acabar. Na maioria das mitologias o universo é dividido em vários níveis. Normalmente existem três: o domínio dos deuses (muitas vezes conhecido como "céu"); a terra, onde os humanos vivem; e uma espécie de mundo subterrâneo (frequentemente conhecido como "inferno"). Em muitas tradições antigas – particularmente mesopotâmicas e gregas – esses níveis nasceram do Caos, o universo em seu estado primordial, e foram criados pelos próprios deuses. No mito grego, por exemplo, o céu era conhecido como Éter, a Terra como Gaia e o mundo inferior como Tártaro – nomes que serviam tanto para os deuses como para os lugares. Outras mitologias adicionaram novos níveis: nas histórias nórdicas, por exemplo, há nove mundos, dispostos em torno de uma árvore gigante, Yggdrasil. Os iorubás da Nigéria, por outro lado, simplesmente distinguem entre os mundos físico (*aiye*) e invisível (*orun*).

As camadas superiores e inferiores do universo são geralmente habitadas por deuses e inacessíveis aos humanos (ao menos enquanto estão vivos). Panteões de deuses são comuns a quase todas as mitologias: na maioria dos casos, existem histórias contando como um deus tornou-se mais poderoso do que os outros por meio de força bruta, artimanhas ou intelecto superior. Na Grécia antiga, essa posição era ocupada por Zeus (conhecido pelos romanos como Júpiter); na mitologia nórdica, por Odin. Para os

PÁGINAS 14 E 15 *A divisão do universo em domínios distintos é mostrada nesta pintura da Assunção, de Francesco Botticini.*
PÁGINA ANTERIOR *Zeus, o líder dos deuses gregos, empunha seus raios.*
ACIMA E À DIREITA *Os céus são quase sempre bloqueados para os seres humanos. Aqui, Ícaro e Faetonte caem ao solo depois de tentar voar.*

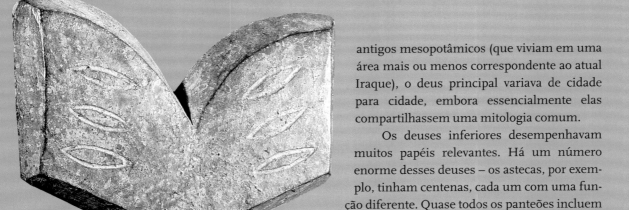

antigos mesopotâmicos (que viviam em uma área mais ou menos correspondente ao atual Iraque), o deus principal variava de cidade para cidade, embora essencialmente elas compartilhassem uma mitologia comum.

Os deuses inferiores desempenhavam muitos papéis relevantes. Há um número enorme desses deuses – os astecas, por exemplo, tinham centenas, cada um com uma função diferente. Quase todos os panteões incluem personagens associados às necessidades humanas básicas: amor, fertilidade, música, arte, chuva, parto e lavoura, assim como a guerra.

Muitos deuses possuem traços decididamente humanos. São ciumentos, até mesmo mesquinhos e encrenqueiros. Irmãos discutem (como foi o caso de Zeus e seus irmãos), crianças rebelam-se contra seus pais e pais monstruosos devoram seus filhos. De tempos em tempos, uma ou mais divindades menores decidiam desafiar a autoridade do líder dos deuses, causando uma batalha nos céus. (Para a maior parte dos deuses, guerra e conflito eram ocorrências diárias.) Mesmo no cristianismo, monoteísta, Deus foi desafiado pelo anjo Satã, que, como punição, foi lançado ao inferno. Ao lado dos deuses há outros seres, às vezes divinos, que desempenham o papel de "malandros" ou trapaceiros. Coiote em contos nativo-americanos, Loki na mitologia nórdica e Maui nas tradições polinésias são exemplos de personagens imprevisíveis que às vezes ajudam e outras vezes atrapalham, mas frequentemente trazem alguma leveza às histórias mitológicas.

Mais perigosos são os monstros, emblemas do caos selvagem: os deuses nórdicos, por exemplo, estão constantemente lutando contra os Gigantes de Gelo. De todo modo, na maioria dos casos, os deuses superam esses elementos desestabilizadores (quase sempre com o auxílio de heróis) e a ordem é restabelecida. Além disso, quase todas as mitologias contêm criaturas que não são exatamente divindades, nem exatamente humanas. Elas representam a extremidade da centelha divina, e compreendem ninfas, demônios, anjos, gigantes, anões, espíritos, ogros, dríades, fadas e assim por diante. A essa lista podem ser acrescentados seres como as Musas clássicas, às quais os artistas recorriam quando buscavam inspiração, ou as Moiras.

Assim como abrigavam os deuses, os céus também mantinham o Sol, a Lua e as estrelas. A mitologia grega explica que as estrelas são os restos imortalizados de humanos e divindades menores, enquanto o Sol é personificado por Hélio em sua carruagem, e a Lua por Selene. Os astecas adoravam o Sol, o portador da vida, como o deus Tonatiuh, que reinava como o rei do céu. A divindade solar, muitas vezes simbolizada por um disco dourado, é, compreensivelmente, comum a muitas cosmologias: de Sól, da lenda germânica, ao deus hindu Surya e vários deuses egípcios antigos.

Os humanos, notando o movimento aparente das estrelas e as fases da Lua, estudaram os planetas para entender o sentido do universo e até mesmo para prever o futuro. Também examinaram os céus para explicar os fenômenos climáticos. Deuses da tempestade são vistos como particularmente poderosos: Thor na mitologia nórdica, Zeus na grega, Indra na hindu, Xangô na iorubá e Taranis na celta. Para os nativos americanos, o trovão é causado pelo Pássaro-Trovão quando bate suas asas. E na China, Lei Gong cria trovões com um tambor e uma marreta.

O oposto da tempestade é o arco-íris, que em muitas mitologias é visto como um sinal de paz ou como uma ponte. A lenda hindu o interpreta como o arco de Indra, usado para disparar relâmpagos. A *Epopeia de Gilgamesh*, por sua vez, descreve-o como o colar da Grande Mãe Ishtar, usado em memória do Grande Dilúvio que aniquilara a humanidade; no Antigo Testamento, ele sinaliza a aliança entre Deus e o homem, também formada depois do Dilúvio. Para os gregos antigos, ele era a ponte de Íris, que unia a terra e o céu, enquanto a mitologia nórdica o conhece como Bifrost, ligando os mundos de Asgard (céu) e Midgard (Terra). Em certo sentido, o arco-íris é a metáfora perfeita para toda a mitologia: a conexão mental entre nosso ambiente mundano e o misterioso funcionamento dos poderes celestiais.

À ESQUERDA *Divindades populares transitavam entre as culturas. Cibele era originalmente uma deusa frígia da terra, mas foi adotada pelos romanos.* ACIMA *Estatueta de Baal, um deus da tempestade de Canaã. Encontrada em Ugarit, na Síria.* PÁGINA ANTERIOR *Xangô é o deus do trovão iorubá. Seu poder é simbolizado pelo entalhe em forma de machado.*

A partir do Caos

Todos os mitos de criação tentam explicar o que ocorria antes do universo estável de planetas e estrelas que conhecemos hoje. A resposta, em muitos casos, é o Caos – um tempo em que a matéria física do universo era indiferenciada e desordenada.

Na mitologia chinesa, o universo começou como uma nuvem amorfa de vapor que foi transformada nas dualidades yin e yang. Mitos posteriores situam o vapor dentro de um ovo gigante; no centro da névoa sem forma dormia Pan Ku, o criador. Um dia ele quebrou o ovo e as partes mais luminosas flutuaram para criar os céus, enquanto as mais escuras afundaram para formar a Terra.

A história de Pan Ku está associada ao mito hindu de Brama, que emergiu de um ovo dourado para criar o mundo. Para os antigos egípcios, entretanto, as águas do Caos foram divididas em céu, terra e mundo inferior.

A palavra *caos* vem do grego antigo e alude ao estado vazio, informe do início do universo. De acordo com a *Teogonia*, de Hesíodo, escrita por volta de 700 a.C., Caos gerou Gaia (a Terra), Eros (o desejo), Érebo (as trevas), Nix (a noite) e Tártaro (o mundo subterrâneo). Estes, por sua vez, conceberam outros elementos fundamentais do universo, incluindo Urano (o firmamento), Éter ("o céu superior") e o dia. Outra versão da história da criação conta que uma deusa, nascida espontaneamente de Caos, botou o ovo do qual tudo se originou. Na Mesopotâmia, Marduk vence a monstruosa Tiamat – uma personificação do caos – para estabelecer a ordem e a sociedade humana.

No entanto, a desordem permanece à espreita. O deus egípcio Rá, por exemplo, luta diariamente com a serpente do Caos, Apep, enquanto o monte Olimpo, morada dos deuses gregos, foi atacado pelos Gigantes rebelados.

ABAIXO, À ESQUERDA *O protodeus chinês Pan Ku transformou o caos em ordem.* ABAIXO *O deus egípcio Ptah confecciona o ovo do mundo em uma roda de oleiro.*
PRÓXIMA PÁGINA *Gravura medieval francesa mostra o Deus bíblico trazendo ordem ao caos através da geometria.*

ACIMA *O caos primordial retratado por Bernard Picart, repleto de signos astrológicos.*
PRÓXIMA PÁGINA *Gigantes — criaturas do caos — empilham rochas com o propósito de*

Os panteões

A maioria dos sistemas mitológicos é politeísta e possui um panteão de muitos deuses. Normalmente, um primeiro deus gera outras divindades, que então procriam (muitas vezes de maneira incestuosa) para produzir novas gerações. Aos poucos, tarefas são distribuídas, com diferentes deuses assumindo a responsabilidade pelo mar, pela guerra, pela fertilidade, pelo Sol ou pela Lua e assim por diante.

O panteão central da mitologia grega antiga, por exemplo – os deuses conhecidos como "olímpicos", porque viviam no monte Olimpo –, inclui as doze divindades principais (Zeus, Hera, Poseidon, Deméter, Atena, Dioniso, Apolo, Ártemis, Ares, Afrodite, Hefesto e Hermes), além de centenas de deuses menores e semideuses. O panteão mesopotâmico varia de cidade para cidade, apesar de certos deuses – por exemplo, Marduk e Enlil – serem universais. O panteão egípcio, do mesmo modo, mudava conforme a preferência dos faraós, embora a tríade central – Osíris, Ísis e Hórus – permanecesse.

Os principais deuses nórdicos são conhecidos como Aesir e incluem Odin, Thor, Frey, Iduna e Heimdall, entre quase uma centena de outros. O panteão hindu orbita em torno de três deuses principais, Brama, Vishnu e Shiva (ver p. 30), mas se estende a centenas de divindades menores, chamadas devas e devis.

Apesar de seus poderes serem sobre-humanos, a maioria dos deuses assume a forma humana (acompanhada, com frequência, de falhas humanas). Alguns têm formas alternativas: deuses hindus podem ter muitos avatares, enquanto deuses do antigo México ou da América do Sul aparecem tanto na forma humana quanto na de grande número de animais ou vegetais. O mesmo acontece com os deuses dos índios nativos americanos e com os deuses aborígenes australianos, cujos panteões variam enormemente de tribo para tribo.

PÁGINA ANTERIOR *O panteão grego levava seus prazeres a sério. Este encontro no Olimpo lembra uma reunião de família.* ACIMA *Deuses animais tibetanos ordenados em fileiras, cada um responsável por um diferente aspecto da vida.*

Divindades da mitologia nórdica: ao fundo, o sol, a lua,
Tuisco e Seater; à frente, Frigga, Odin e Thor.

Divindades egípcias em altar de veneração. Templo de Abu Simbel.

PÁGINA ANTERIOR *O panteão dos deuses, deusas e demônios hindus decora o Templo de Sri Mariamman, em Singapura.*
ACIMA *Este relicário japonês reúne 66 deuses xintoístas e budistas.*

O ser supremo

Em quase todos os panteões surge eventualmente um deus líder. No caso do mito mesopotâmico, foi Marduk quem reinou depois de matar o monstro Tiamat. De modo semelhante, o deus cananeu Baal conquistou o poder derrotando o gigante Yam e o dragão marinho Lotan.

O céu, porém, não é uma democracia e muitas vezes o deus principal chega ao poder pela força. Zeus, por exemplo, era apenas mais um dos filhos de Cronos e Reia, ao lado de Poseidon, Hera e Hades. Cronos, temendo que seus filhos um dia o destronassem, engolia-os quando nasciam. No entanto, quando chegou o momento de Zeus ser engolido, Reia enganou Cronos, dando-lhe uma pedra envolta em uma manta. O verdadeiro Zeus cresceu em outro lugar e, um dia, enfrentou e derrotou seu pai, e resgatou seus irmãos. A partir de então, Zeus tornou-se o incontestável rei do céu, enquanto seu pai foi confinado no Tártaro (ver p. 73).

Quase todos os seres supremos são do sexo masculino, barbudos e associados ao trovão. Nesse padrão encaixam-se o deus nórdico Odin, seu filho Thor, Marduk e o Deus do Antigo Testamento, que adorava tempestades. No hinduísmo a situação é um pouco diferente: todos os deuses hindus são, efetivamente, a expressão de uma única força suprema, sem atribuição de gênero, o Brâman. Mas, na realidade, existem três deuses principais, Brama, Vishnu e Shiva – o Criador, o Mantenedor e o Destruidor, respectivamente – que juntos são conhecidos como Trimúrti.

ABAIXO, À ESQUERDA *Esta famosa "pedra do sol", encontrada na Cidade do México, exibe o calendário asteca. No centro está Tonatiuh, que presidia o céu.* ABAIXO E NA PRÓXIMA PÁGINA *Brama, o deus hindu da criação, é tradicionalmente representado com quatro cabeças.*

IVPITER·

REGIONES
Arabia felix, Celtica, Dalmat. Hispa-
nia, Misnia, Tyrrhenia, Ungaria·
CIVITATES
Auerno, Buda, Cascouia, Masina,
Narbona, Toletum, Volaterra·

Iupiter alatis aquilis per sidera vectus;
Quippe aquilis semper gaudet Deus ille coruscʳ·
Quem Inuenis nudo formatus mollior arcu
Praecedit, subeunt Pisces: dominatur opaco

Euphrati, Assyrijs, Cilicum campestribus aris,
Pannoniae, Calabris, extremisq3 aequore Iberis·
Hic membris tribuit neruos, et acuniâ cordi,
Et regale caput, nec delassabile pectus·

REGIONES·
Calabria, Cilicia, Garamantes, Lydia,
Normandia, Pamphilia, Portugalia·
CIVITATES
Alexandria, Compostella, Hispalis, Paren-
tiũ, Ratisbona, Rhotmagum, Vormatia·

A autoridade de Zeus (Júpiter) era praticamente incontestada na
mitologia clássica. Seu poder é simbolizado pelos raios que carrega.

À ESQUERDA *Cronos (conhecido pelos romanos como Saturno) devora o filho Poseidon. Seu último rebento, Zeus, escapou a esse destino e derrotou o pai.*
ABAIXO *O Deus bíblico, na descrição de Michelangelo, é barbudo, idoso e austero*

Deusas-mães

Na mitologia, as deusas estão, muitas vezes, intimamente associadas à fertilidade. Um dos exemplos mais antigos é a "Vênus de Willendorf" – uma pequena escultura entalhada há 20 mil anos que celebra o poder reprodutivo feminino. Os antigos mitos do Egito e do Oriente Médio também apresentam poderosas figuras da fertilidade: a deusa mesopotâmica Ishtar (conhecida também como Inanna) tinha prazer em seduzir, enquanto a frígia Cibele (também adorada como a Grande Mãe) presidia a fertilidade da terra.

Na China, a grande deusa-mãe é Nuwa, esposa do deus imperador Fu Xi. Capaz de se transformar em uma serpente, ela criou os primeiros seres humanos usando argila amarela para formar os aristocratas e terra para o resto. A divindade asteca Coatlicue, vestida com uma saia de serpentes, gerou muitos deuses, os quais mais tarde a assassinaram (ela foi vingada por seu filho mais novo, Huitzilopochtli).

A deusa hindu Devi representa o "divino feminino" e, como tal, constitui o equivalente feminino do Trimúrti (ver p. 30). Ela aparece de várias formas, tais como Ma, a mãe, e Kali, a destruidora. Como deusa do casamento, Hera, irmã e esposa de Zeus, permaneceu fiel diante das infidelidades do marido, ainda que perseguisse sem piedade suas rivais no amor. Sua importância, no entanto, foi diminuindo ao longo do tempo, talvez refletindo a mudança de uma sociedade agrícola, que valorizava a fertilidade, para uma sociedade baseada em guerras e conquistas.

À DIREITA *A deusa-mãe asteca Coatlicue usando sua saia de serpentes entrelaçadas.*
PRÓXIMA PÁGINA *Um afresco de Pompeia, mostrando a deusa-mãe egípcia Ísis acolhendo Io no Egito. Hera, com ciúme do interesse de seu marido pela ninfa grega, obrigou Io a percorrer o mundo sem descanso.*

Onde vivem os deuses

Por pertencerem ao reino sobrenatural, os deuses quase sempre vivem afastados da humanidade. Nas mitologias hindu, budista e jainista, Brama habita o monte Meru, no centro do universo. Meru não é uma montanha terrestre, mas um plano elevado que teria 84 mil yohanas (cerca de 1 milhão de quilômetros) de altura. O deus do Sol, Surya, circula sobre o monte diariamente.

A filosofia taoista expressa o conceito de firmamento com a palavra *tian*, que significa simplesmente "céu". E essa adoração dos céus é celebrada no famoso Templo do Céu, em Pequim. O céu japonês está ligado à terra por uma ponte flutuante. Ambas as tradições também afirmam que os deuses vivem em montanhas feitas de ouro e prata.

Enuma Elish, o antigo épico mesopotâmico, sugere que o céu possuía dois níveis: o reino de Anu e o reino de Enlil. Para a mitologia nórdica, os humanos viviam em Midgard, enquanto os deuses de Aesir moravam em Asgard, no centro da qual encontrava-se o salão de Odin, Valhala.

As descrições do céu cristão são vagas, mas se sabe que é povoado por anjos. Talvez a mais famosa morada sagrada, no entanto, seja o monte Olimpo. Montanha mais alta da Grécia, era o lar apropriado para os doze principais deuses da antiga mitologia grega.

À ESQUERDA *O céu cristão é habitado pela Trindade (Deus, Cristo e o Espírito Santo) e por legiões de anjos.* ABAIXO *O Templo do Céu, em Pequim.*
PRÓXIMA PÁGINA
O universo nórdico é dividido em nove planos distintos, incluindo o reino do fogo, Muspelheim (1), e Midgard (3), onde os humanos habitam.

ACIMA *Este mural tibetano mostra uma mandala cósmica centralizada no monte Meru, o eixo do mundo.*

PRÓXIMA PÁGINA *Plano cosmológico jainista mostrando os continentes onde habitam os mortais, separados por oceanos em forma de anel. No centro está o monte Meru, em cujo topo vive Brama, o deus da criação.*

O Sol

||||||||||||||||||||||||||||

Fonte de luz e calor, símbolo do dia, o sol é fundamental para todas as mitologias. Seu previsível desfile pelo céu levou muitas culturas a concluir que algum ser controlava seu movimento. Para os egípcios, esse ser navegava em uma embarcação, enquanto os gregos e os povos da Europa setentrional imaginavam-no transportado em uma carruagem solar.

Para os gregos e romanos, essa carruagem era conduzida pelo deus Hélio (Sol), que vivia no Oriente. O filho mortal de Hélio, Faetonte, pediu permissão para ser o condutor. Embora Hélio tentasse dissuadi-lo, Faetonte insistiu, mas os cavalos revelaram-se demasiado potentes para ele, que foi jogado à terra. Posteriormente, a mitologia grega associou o Sol a Apolo.

Para os egípcios, o Sol representava ordem e foi associado a Rá. Todas as noites, o Sol passava pelo mundo inferior, onde tinha de lutar contra agressores, incluindo Apep, a serpente do caos.

As sociedades centro-americanas eram adoradoras do Sol. Huitzilopochtli, o deus do Sol asteca, precisava ser alimentado com sacrifícios humanos. Para os astecas, o Sol era filho da terra, Coatlicue. Alguns mitos chineses imaginam o Sol como o olho esquerdo de Pan Ku (ver p. 20). Na mitologia persa, as divindades solares são Aúra-Masda e Mitra, ambos deuses poderosos.

Os eclipses possuíam significado cósmico. Para os chineses, eles eram o Sol sendo devorado por um dragão. Os egípcios, por outro lado, viam-nos como um sinal de que o Sol havia momentaneamente perdido sua batalha contra Apep. Para os japoneses, o eclipse era um lembrete de quando Amaterasu, a deusa do Sol xintoísta, fugiu para uma caverna, mergulhando o mundo em trevas; felizmente, ela foi compelida a sair por curiosidade, quando ouviu os outros deuses rirem. A mitologia nórdica prevê que o Sol – a deusa Sól – acabará devorada pelo lobo Fenrir, possivelmente durante os eventos apocalípticos do Ragnarok.

ABAIXO *Amaterasu, a deusa do Sol, emerge de sua caverna, deslumbrando os outros deuses.*
PRÓXIMA PÁGINA *Uma representação persa do Sol em que raios de luz emanam de sua cabeça.*

Sol

PÁGINA ANTERIOR, À ESQUERDA *Faetonte, incapaz de controlar os cavalos de seu pai, cai na terra.*
PÁGINA ANTERIOR, ACIMA *Apolo viaja pelo céu.*
PÁGINA ANTERIOR, ABAIXO *O deus Sol conduz sua carruagem.*
ACIMA *Representações de carruagens solares ocorrem em todo o mundo. Nesta imagem, Aruna, o cocheiro de rosto vermelho, transporta Surya, o deus do Sol hindu.*

*Altar mostrando Selene – de costas para a lua
crescente – acompanhada ou pelos Dióscuros, ou por
Fósforo (a Estrela da Manhã) e Héspero (a Estrela
da Tarde).*

A Lua

Enquanto o Sol é tipicamente masculino, a Lua é muitas vezes retratada como feminina. Na mitologia asteca, Coyolxauhqui, filha de Coatlicue, a deusa da terra, tentou destronar a mãe. No entanto, um de seus irmãos, Huitzilopochtli, decapitou Coyolxauhqui e atirou sua cabeça aos céus, onde se tornou a Lua.

Na mitologia grega, a Lua foi originalmente associada à titã Selene, irmã de Hélio. Talvez o mais famoso mito sobre Selene seja o que relata como ela se apaixonou pelo pastor Endimião e pediu a Zeus para o colocar em sono eterno a fim de apreciar sua beleza. Com o passar do tempo, Selene foi gradualmente substituída por Ártemis como a deusa da Lua.

Na Mesopotâmia, a Lua, chamada Sinnu (às vezes Sin ou Nanna), era filho de Enlil e Ninlil. Alguns mitos dizem que Sinnu era o pai de Ishtar. Na antiga mitologia egípcia, os dois deuses associados à Lua eram Khonsu e o deus da magia, Tot.

Numerosas tradições, inclusive a nativo-americana, fazem referência ao Coelho da Lua, ideia sugerida pela aparência da superfície do astro. Para os chineses, esse personagem está preparando o elixir da vida eterna em companhia de Chang'e, a deusa da Lua. Para os astecas, ele foi posto ali por Quetzalcóatl para imortalizar um coelho que havia se sacrificado ao deus.

ACIMA *Disco de pedra retratando o corpo desmembrado de Coyolxauhqui.*
ABAIXO *Esta estampa de um selo cilíndrico babilônico, mostra um sacerdote diante dos símbolos de Ishtar (uma estrela) e Sinnu (a lua).*

ACIMA *O Coelho da Lua prepara o elixir da vida eterna
acompanhado de Chang'e, a deusa chinesa da Lua.*
PRÓXIMA PÁGINA *Da mesma forma que o Sol, a Lua
frequentemente viaja de carruagem, como mostra esta gravura
de Selene cruzando o céu noturno.*

As estrelas

||||||||||||||||||||||||||||||||||||||||||||||||||

Como os deuses são provavelmente mais encontrados nos céus, todas as culturas buscaram o significado das estrelas, assim como tentaram explicar de onde vieram. Na mitologia nativo-americana, contava-se que a Avó Aranha teceu uma teia que foi, então, coberta de orvalho. Ela jogou a teia para cima, criando assim o céu noturno.

Os gregos eram formidáveis observadores das estrelas e as reuniram para formar constelações. Cada constelação estava relacionada a uma história mitológica: Ursa Maior e Ursa Menor eram a ninfa Calisto e seu filho transformados em ursos, por exemplo, enquanto a constelação vizinha de Draco representava o dragão morto por Jasão (ver p. 318). Os antigos egípcios, por outro lado, viam a mesma constelação como a deusa com cabeça de hipopótamo, Taweret. Eles acreditavam que após a morte a alma teria de navegar pelas estrelas para alcançar o céu. O deus asteca associado ao céu noturno era Tezcatlipoca.

ABAIXO, À ESQUERDA *Este diagrama asteca associa estrelas a partes do corpo humano.*
ABAIXO *Os gregos consideravam a constelação de Draco ("dragão") um tributo por Jasão ter matado o dragão.*
PRÓXIMA PÁGINA *Um astrônomo observa os signos estelares nesta gravura armênia.*

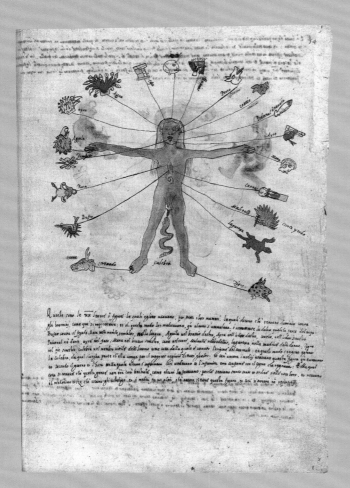

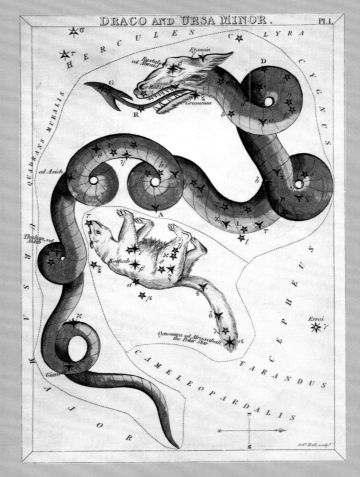

Os chineses identificaram quatro bestas mitológicas nos céus noturnos: o Dragão Azul, a Tartaruga Negra, o Pássaro Vermelho e o Tigre Branco. Esses animais também estavam associados às estações do ano, aos pontos cardeais e aos elemento.

Um mito Tlingit, de origem norte-americana, conta como toda a luz do mundo foi acumulada por uma única pessoa. Para obtê-la de volta, Corvo, o malandro, infiltrou-se na casa disfarçado como um bebê e recebeu um saco de estrelas para brincar. Esvaziou o saco e as estrelas flutuaram, através da chaminé, até o céu.

ABAIXO *Diagrama bizantino dos céus. Hélio, no centro, confunde-se com Cristo, enquanto os apóstolos estão alinhados com os signos do zodíaco.*
À DIREITA *Telha de cerâmica da dinastia Han, mostrando animais que representam as principais constelações e os pontos cardeais.*
PRÓXIMA PÁGINA *Aion, o deus romano do tempo, gira uma roda celestial decorada com os signos do zodíaco. Diante dele está a deusa-mãe-terra, Telo (Gaia).*

Os deuses apaixonados

Os deuses procriam de maneiras curiosas. Os primeiros deuses gregos multiplicavam-se praticamente de modo mágico, enquanto os olímpicos, posteriores, frequentemente adotavam disfarces para seduzir os outros. Na mitologia asteca, o primeiro deus, Ometeotl (Deus Dual), era masculino e feminino. Gerou quatro divindades solares: Huitzilopochtli, Quetzalcóatl, Tezcatlipoca e Xipe Totec.

As infidelidades de Zeus eram lendárias: teve pelo menos quarenta amantes mortais e divinas, e foi pai de dezenas de crianças, incluindo Héracles, Afrodite, Hermes, Dioniso e as Musas. Ele seduzia os humanos de várias maneiras – como uma chuva de moedas de ouro (Dânae), um touro (Europa), uma águia (Ganimedes) e até mesmo uma nuvem (Io). Odin herdou de Zeus o gosto por mulheres, apesar de seu casamento com Frigga, cujo nome significa "a amada".

À DIREITA *O deus Wotan se despede da Valquíria Brunilda, que, na versão de Richard Wagner do mito nórdico, era sua filha com Erda, a deusa da terra.* ABAIXO *Zeus surge diante da desafortunada Sêmele, incinerada momentos depois pelo resplendor do deus.* PRÓXIMA PÁGINA *Pintura de Correggio mostrando Io seduzida por Zeus em forma de nuvem.*

Outros deuses do Olimpo também não eram fiéis. A bela Afrodite era casada com Hefesto, o ferreiro manco, mas teve um caso com o deus da guerra, Ares. Hefesto confeccionou uma rede para pegá-los em flagrante e todos os deuses foram ver o casal capturado (e apreciar Afrodite nua).

Ísis era a arquetípica esposa fiel. Em uma história essencial à mitologia egípcia, Osíris foi sequestrado por seu irmão Seth, que o aprisionou em um sarcófago e o jogou em um rio. Ísis vasculhou o mundo antes de conseguir encontrar seu marido; embora Seth houvesse desmembrado o corpo de Osíris, Ísis conseguiu remontá-lo usando magia e, em seguida, concebeu Hórus.

ACIMA *Este trabalho em relevo mostra Afrodite, deusa grega do amor, emergindo do mar.*
PRÓXIMA PÁGINA *O deus hindu Shiva banhando-se com sua amada Parvati.*

PÁGINA ANTERIOR *Hefesto flagra sua esposa, Afrodite, com seu amante,*
Ares. Os outros deuses observam.
ACIMA *Os deuses hindus Vishnu e Lakshmi, sua esposa (ambos*
montados em um elefante), encontram Shiva, Parvati e Ganesha.

摩竭
まかつ

飢竭
けかつ

Deuses do clima

Para sociedades baseadas em agricultura, o clima é muito importante. Na Grécia antiga, o principal deus do clima era Zeus: chamado de "ajuntador de nuvens", ele aparece segurando raios, fabricados por três Ciclopes, uma raça de gigantes com um único olho no centro da testa. Zeus guarda semelhanças com os deuses do trovão Donar (alemão), Thor (nórdico) e Taranis (celta).

Na mitologia iorubá, Xangô foi um rei mundano que ascendeu ao céu para se tornar o deus da tempestade. Susanoo, o deus xintoísta da tempestade, irmão da divindade solar Amaterasu, foi banido para o céu depois de assustar sua irmã, que se recolheu a uma caverna (ver p. 42). Tlaloc, o deus asteca da chuva, também estava associado a tempestades violentas.

A antiga Babilônia possuía uma série de divindades do vento, incluindo Tiamat e Marduk, assim como o demônio Pazuzu, o vento sudoeste. No épico *Enuma Elish*, Marduk vence Tiamat usando os Quatro Ventos. Mais tarde, em Canaã, encontramos Baal, o deus da tempestade. Na mitologia grega, Éolo era o senhor dos ventos. Ele deu a Ulisses um saco contendo todos os ventos, para ajudá-lo a voltar para casa, mas os homens do herói o abriram, causando uma tempestade. Entre os quatro ventos estava Zéfiro, que na pintura de Botticelli (ver p. 62) é retratado soprando Vênus até a costa.

Os deuses japoneses do vento também são mostrados segurando sacos. Fujin liberou os ventos de sua bolsa a fim de limpar a névoa que permaneceu após a criação. Seu irmão era Raijin, o deus da tempestade. Enquanto isso, na mitologia asteca, Ehecatl – "vento" – deu movimento a tudo com seu sopro, inclusive ao Sol, embora ele mesmo não tivesse uma forma permanente.

PÁGINA ANTERIOR *Dois deuses japoneses segurando um saco de vento (figura da esquerda), e carregando um martelo para produzir trovões (figura da direita).* ACIMA *Nesta imagem, Tlaloc, o deus da chuva, permuta cacau com a deusa da lua.*

NO TOPO *Relevo de um caldeirão da Idade do Ferro mostrando Taranis, o deus celta do trovão, segurando uma roda.*
ACIMA *A bela Vênus de Botticelli, nascida de uma concha, é soprada à terra por Zéfiro.*
PRÓXIMA PÁGINA *Thor monta em sua carruagem puxada por cabras, seu martelo crepitando com estrondosa energia.*

O arco-íris

De todos os fenômenos naturais, o arco-íris está entre os mais misteriosos e mágicos. Espectadores do passado devem tê-lo interpretado como o sinal mais claro possível de que existia um universo sobrenatural.

Por causa de sua forma, o arco-íris é, com frequência, entendido como uma ponte. Na mitologia nórdica, por exemplo, era chamado de Bifrost e ligava o mundo dos humanos ao dos deuses; Heimdall era seu dedicado guardião. Para os gregos, o arco-íris estava associado à deusa mensageira Íris.

O conto bíblico de Noé descreve o arco-íris como o símbolo da aliança entre Deus e a humanidade. Uma história muito semelhante é encontrada na *Epopeia de Gilgamesh*, em que a grande deusa Ishtar oferece seu colar de arco-íris como uma promessa de que ela nunca se esqueceria do Grande Dilúvio.

ACIMA *Na Bíblia, o arco-íris sinaliza a aliança de Deus com a humanidade depois do dilúvio. Aqui, Noé prepara um sacrifício de ação de graças.*
PRÓXIMA PÁGINA *Íris, a antiga personificação grega do arco-íris.*

Na mitologia hindu, o arco-íris seria o arco de Indra, o deus do trovão e das tempestades. Acreditava-se também que os primeiros reis do Tibete retornaram ao céu na forma de arcos-íris.

Algumas culturas vinculavam o arco-íris às cobras. Uma "serpente arco-íris" aparece tanto na mitologia asteca quanto na tradição aborígene australiana, onde controla as águas.

PÁGINA ANTERIOR *Uldra, o espírito escandinavo do arco-íris próprio das cachoeiras.*
ACIMA *Os deuses nórdicos atravessam Bifrost, a ponte arco-íris.*

Mensageiros dos deuses

Nas tradições abraâmicas, os anjos funcionam como mensageiros de Deus, aparecendo aos devotos em momentos de necessidade ou fazendo anúncios importantes. Para os cristãos, o principal mensageiro de Deus é o arcanjo Gabriel, que apareceu diante de Maria para anunciar que ela estava grávida de Jesus.

O principal mensageiro clássico, ao lado de Íris, é Hermes (conhecido pelos romanos como Mercúrio). Suas sandálias aladas – confeccionadas por Hefesto – permitiam-lhe voar entre o céu e a terra; e em sua mão ele segurava um bastão com duas serpentes entrelaçadas, chamado caduceu. Uma das principais responsabilidades de Hermes era guiar os mortos para o mundo subterrâneo.

ACIMA *A cabeça decepada de Orfeu tornou-se um oráculo – uma conexão com o reino sobrenatural – consultado pelos mortais.*
PRÓXIMA PÁGINA *Mercúrio aparece neste afresco de Pompeia segurando um cetro e usando suas sandálias aladas. Juno está sentada no trono e Íris de pé, atrás dela.*

"Malandros"

Os malandros conferem aos mitos imprevisibilidade, caos e humor. Quase todos são metamorfos habilidosos. Talvez o malandro mais famoso seja o deus nórdico Loki: filho de gigantes, teve papel fundamental na morte de Balder (ver p. 162) e como punição foi acorrentado a uma rocha, onde o veneno de uma serpente goteja sobre seu rosto. Os descendentes de Loki incluem Fenrir, o lobo gigante, a Serpente de Midgard e Hela.

Os dois principais malandros da mitologia nativo-americana são o Coiote e o Corvo (ver p. 224). O Coiote foi o primeiro ser a contar uma mentira e introduziu a doença e a morte no mundo.

A cultura iorubá inclui o deus malandro-mensageiro Exu (que, como Hermes, é o deus dos limites). Em uma ocasião, Exu convenceu o Sol e a Lua a mudarem de lugar, levando o universo ao caos. Enquanto isso, a cultura ashanti, na África Ocidental, tem como herói a aranha Ananse, malandro que criou a humanidade.

O malandro Maui é uma divindade polinésia popular, encontrado em todos os lugares, do Havaí à Nova Zelândia. Ele usou a mandíbula de sua avó para retardar o Sol e ajustar a duração do dia, além de presentear a humanidade com o fogo.

À ESQUERDA *Esta figura ajoelhada representa Exu, um deus iorubá associado à malandragem e à surpresa.*
ACIMA, À DIREITA *Coiote, o malandro norte-americano, navegando em uma canoa.*
À DIREITA *O nascimento de Maui, o deus malandro da Polinésia.*
PRÓXIMA PÁGINA *Como punição, Loki foi amarrado a uma rocha e obrigado a suportar veneno de cobra gotejando em seu rosto.*

O mundo inferior

Talvez por causa de suas práticas funerárias tradicionais, a maioria das mitologias concebe a área abaixo da terra – o mundo inferior – como o lugar dos mortos.

Os gregos possuíam dois mundos subterrâneos. O primeiro foi Hades, governado pelo deus com o mesmo nome, irmão de Zeus. Hades não era um local de punição, mas simplesmente onde os mortos habitavam. Abaixo do Hades encontrava-se o Tártaro. Na *Ilíada*, Zeus explica que o Tártaro é "tão abaixo do Hades como o céu acima da terra". Era um abismo de sofrimento onde os antigos monstros do caos – os Ciclopes e os Hecatônquiros, por exemplo – foram lançados por Cronos, pai de Zeus. Este os libertou e, no lugar deles, colocou seu pai. Tifão foi confinado ao Tártaro, assim como Tântalo (ver p. 202).

O Tártaro não é diferente do inferno cristão, o domínio de Satã. O vocábulo do léxico inglês *hell* (inferno) vem do nome da deusa nórdica do mundo inferior, Hela. Na mitologia mesopotâmica, o mundo subterrâneo era governado por Ereshkigal, irmã de Ishtar, a Senhora dos Céus. As duas irmãs tinham muito ciúme uma da outra.

PÁGINA ANTERIOR *Depois de fracassar na tentativa de derrotar Zeus, os Gigantes foram enviados ao mundo inferior.*
ABAIXO *Na mitologia clássica, o barco de Caronte transportava os mortos através do Estige, o rio que os separava dos vivos. Cérbero, o cão de múltiplas cabeças, montava guarda.*

QVESTO ✦ ELINFERNO ✦ DEL ✦ CHĀPOSAN
TO ✦ DI PISA ✦

PÁGINA ANTERIOR *Psiquê desce ao mundo inferior para coletar água do rio Estige.* À DIREITA *Hades, senhor do mundo subterrâneo, e sua esposa, Perséfone.* ABAIXO *Trabalho em relevo do século I encontrado em Palmira, Síria, mostrando Nergal, o deus babilônico do mundo inferior – nesta imagem, muito parecido com Héracles – acompanhado dos deuses da lua e do sol.*

ACIMA *O assustador Pazuzu, demônio mesopotâmico da tempestade, possui cabeça de leão, asas de águia e cauda de escorpião.* À ESQUERDA *Tzitzimitl, um demônio estelar asteca de aparência esquelética.* PRÓXIMA PÁGINA *O Buda medita sob a árvore de Bodhi, resistindo aos demônios que o tentam.*

Demônios

Os demônios desempenham uma série de papéis imprevisíveis na mitologia, às vezes instigando o mal, às vezes punindo os malfeitores.

Na mitologia hindu, os demônios são conhecidos como asuras, embora estes não sejam necessariamente maus – na verdade, alguns asuras são surpreendentemente devotados. Segundo a tradição védica, eles e seus equivalentes celestiais, os devas, derivam do mesmo criador. Ocasionalmente, os asuras lutam contra os deuses, mas também os ajudam na Agitação do Oceano de Leite (ver p. 162). Quando o elixir da vida aparece, no entanto, eles tentam roubá-lo.

Nas religiões judaico-cristãs, Satã começou sua carreira no céu, mas foi lançado ao inferno depois de se rebelar contra Deus. Na tradição cristã posterior, Satã tornou-se a personificação do mal, o líder de uma hierarquia de demônios e acima de tudo o "tentador".

A mitologia mesopotâmica possui uma variedade de demônios da tempestade, incluindo o famoso Pazuzu. Assim como na tradição hindu, todos os deuses e demônios foram gerados pelo mesmo pai, Anu. Quatorze demônios teriam auxiliado o deus Nergal a chegar ao mundo inferior para visitar Ereshkigal.

Os demônios também podem ser encontrados no budismo. No Tibete, por exemplo, há uma tradição de espíritos chamados bDud, que antecedem o budismo, mas foram incorporados ao seu panteão. E o folclore japonês conta com o maior número de demônios, conhecidos coletivamente como Oni, assim como criaturas sobrenaturais chamadas Yokai. Os Onis muitas vezes aparecem em representações do inferno, empunhando grandes clavas de ferro.

श्रीदेवी

श्रीदत्तात्रेय

Durga (página 80), um avatar da deusa hindu Devi, degola o búfalo-demônio Shri Deri.

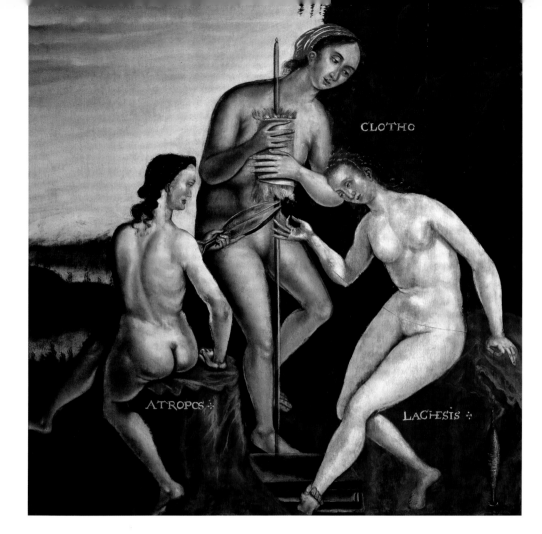

Outros seres sobrenaturais

As mitologias são repletas de criaturas sobrenaturais peculiares. Histórias nórdicas, por exemplo, incluem os Gigantes de Gelo, inimigos ocasionais do Aesir (embora ocorram casamentos entre eles). A mitologia grega traz os gigantes de um só olho chamados Ciclopes, assim como os gigantes que atacam o Olimpo.

A mitologia clássica oferece talvez a melhor variedade de seres sobrenaturais que não se encaixam no reino dos deuses. As ninfas, por exemplo, eram espíritos da natureza que pertenciam a locais particulares: dríades, espíritos das árvores (e associadas especialmente ao carvalho); Hespérides, que cuidavam de um jardim paradisíaco; e náiades, que guardavam rios, fontes e córregos. Outras ninfas serviam a deuses particulares, como Pã.

Todos temiam as três Parcas gregas (Moiras) – até mesmo os deuses. Suas equivalentes nórdicas eram as Nornas (ver p. 192). A mitologia hindu inclui seres em forma de cobra denominados nagas. Seu líder é Shesha, a serpente sobre a qual repousa Vishnu entre períodos de criação (ver p. 146).

ACIMA, À ESQUERDA *As Parcas – as três irmãs gregas que determinavam o destino – chamavam-se Cloto ("fiandeira"), Láquesis ("distribuidora") e Átropos ("inevitável").* ACIMA *Esta escultura em madeira da Colúmbia Britânica mostra a ogra canibal Dzonoqwa.* PRÓXIMA PÁGINA *O gigante nórdico Baugi, acompanhado de Odin, perfura uma montanha para alcançar o hidromel dos poetas.*

Hr Þorar Bäugi bröðir Sultüngs Hvÿtbiörg.
Med Napcinüm Rata eptei beidri Völverks er
Ödin var reyndar So sem Seiger i Scytügiftü
og fyrstu Dæmisögu Eddü.

Bäugi

Rati.

Hvÿtbiörg

Balvorbur

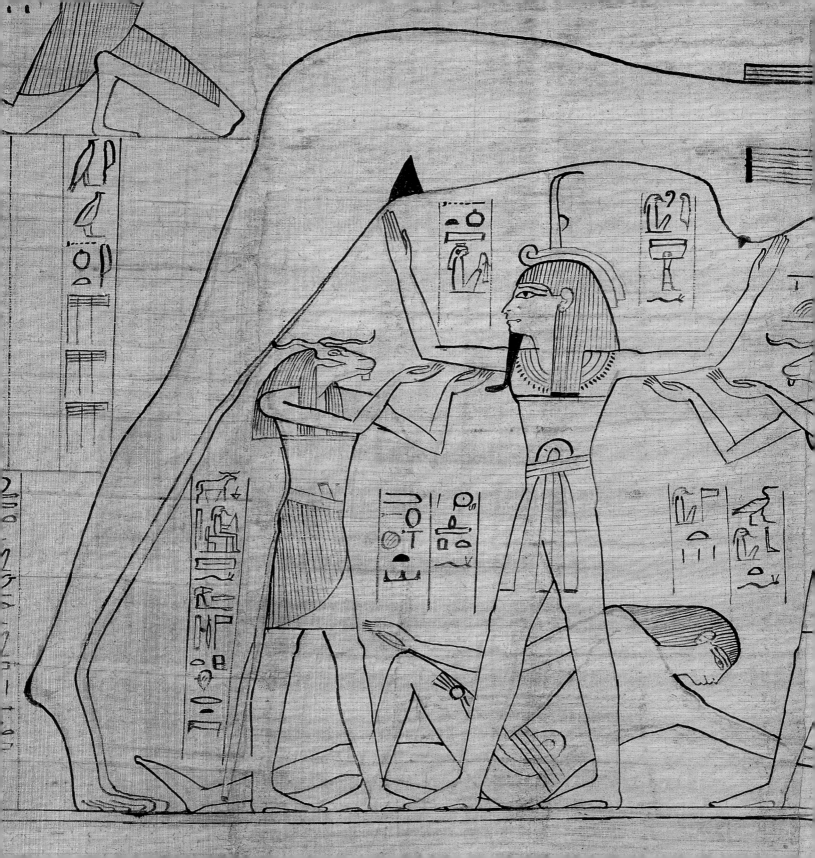

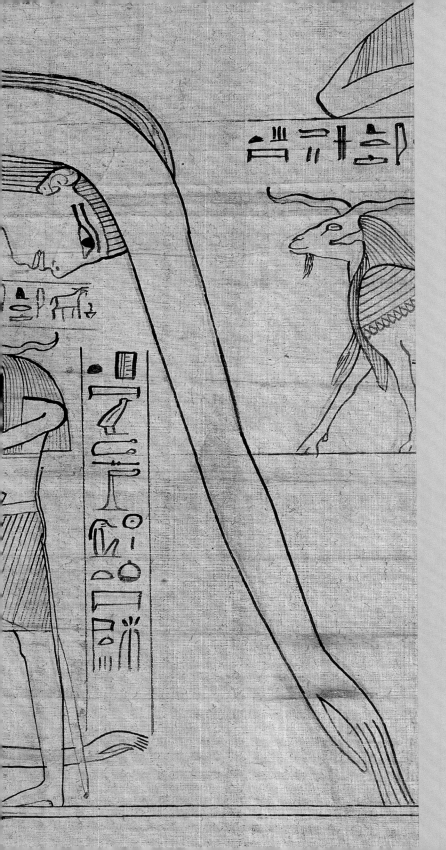

2

A TERRA
|||||||||||||||||||||||||||||

As mitologias, além de tentarem explicar a existência humana e o funcionamento do reino sobrenatural, também se dedicam ao ambiente que nos cerca. Muitas das características da Terra – montanhas, rios, ravinas, cachoeiras e desertos – evocam um senso de drama. Muitas vezes a paisagem é tão bela e traiçoeira que as culturas ao redor do mundo, inevitavelmente, buscaram o significado delas.

Para os gregos antigos, a terra era literalmente feita de deuses. A primeira entidade a emergir do caos primitivo foi Gaia, a personificação da Terra. Gaia originou as montanhas e o céu (Urano). Gaia e Urano tiveram descendentes, incluindo os Titãs e os Ciclopes. Desgostoso com seus filhos, Urano os prendeu no interior de Gaia – que, farta do marido, deu ao filho remanescente, Cronos, uma foice para que ele castrasse o pai. O céu foi separado da terra, concedendo espaço para o resto da criação.

As figuras da Mãe Terra e do Pai Celeste são encontradas em diversas mitologias, inclusive nas lendas nativo-americanas. Na cultura nigeriana os dois estão entrelaçados em um abraço apertado que aprisiona seus filhos. Cada criança tenta sair à força, mas apenas uma consegue. Na antiga mitologia egípcia, Geb (terra) e Nut (céu) são separados por seu pai, Shu.

Na lenda chinesa, o céu foi criado por Pan Ku, que instalou quatro pilares para mantê-lo no lugar. Após a morte de Pan Ku, seu corpo tornou-se as diferentes partes da paisagem. Essa história de um "deus desmembrado" é análoga a outra, difundida na antiga Mesopotâmia, na qual Marduk dividiu o cadáver de Tiamat em duas partes, a terra (seus seios, por exemplo, tornaram-se montanhas) e o céu.

A esse cenário divino foram adicionados vários episódios mitológicos que poderiam explicar certas curiosidades topográficas. Os mitos dos aborígines australianos estão fortemente associados a seu ambiente imediato. Marcos específicos foram estabelecidos pelos Seres Criadores durante o período conhecido como o Tempo dos Sonhos: montanhas podem ser gigantes caídos ou iguanas, enquanto outras peculiaridades geográficas naturais são sinais deixados por ancestrais. Ravinas e montanhas são vistas como esculpidas por cobras gigantes se debatendo. Os lugares mais sagrados para os aborígines são as formações naturais, como o monólito Uluru (A Rocha).

Esses mitos locais proporcionam uma ligação imediata com o sobrenatural, ao mesmo tempo fornecendo provas tangíveis das crenças de um povo. Ainda hoje existem arqueólogos tentando localizar o sítio do monte Ararat, onde a Arca de Noé supostamente permaneceu depois do Grande Dilúvio. Os antecessores desses arqueólogos, na Grécia e na Roma antigas, acreditavam que os ossos de mamute fossilizados, encontrados em escavações, fossem os restos de gigantes. A lenda de um dilúvio que inundou a Terra e quase extinguiu a humanidade é praticamente universal. Nos contos nativo-americanos, a terra foi lentamente trazida à superfície por "mergulhadores primordiais". Na mitologia hindu, o javali Varaha, avatar de Vishnu, recolhe a terra do fundo dos mares.

A mitologia nos oferece uma perspectiva das visões de mundo de diferentes culturas. Variadas tradições incorporam o conceito de *axis mundi*, ou o centro do mundo. Mapas europeus do período medieval situavam Jerusalém no centro, em razão de sua importância bíblica. Outros acreditavam que o centro do mundo era o Jardim do Éden, nascente dos quatro rios do Paraíso. Na mitologia hindu, o centro do universo é o mítico monte Meru; para a nórdica, era Yggdrasil, a Árvore do Mundo. As árvores ocupam um lugar de destaque na mitologia. Seu desenvolvimento, força e longevidade funcionam como metáforas poderosas.

ACIMA *Perséfone, a deusa da vegetação, e Hades sentados no trono de seu reino subterrâneo.*
PRÓXIMA PÁGINA *Varaha, um avatar de Vishnu, desloca a terra por cima das águas.*

Muitas culturas enxergam a paisagem natural como protegida por espíritos. Os gregos contavam com suas náiades e dríades, que vigiavam florestas e rios, ao passo que na mitologia nórdica o mesmo papel era cumprido pelos *Landvaettir*, espíritos protetores da terra. No Japão, Coreia e China, da mesma forma, encontramos fadas e deuses da montanha, e os celtas acreditavam em seres que guardavam fontes. Na mitologia do Sudeste Asiático, as rochas, plantas e rios estão saturados de espíritos: o Espírito do Arroz, por exemplo, tem papel importante na época da colheita.

Compreensivelmente, diversos mitos refletem a dependência da humanidade dos ritmos da natureza. No Egito, a inundação anual do Nilo sustenta todo o país, tornando férteis os áridos desertos. Na Mesopotâmia, o rei pastor Dumuzi, consorte de Ishtar, era obrigado a passar metade de cada ano no mundo inferior – uma história relacionada ao ciclo anual de fertilidade. As mitologias hitita e hurrita, por sua vez, cultuavam Telepinu, o deus da agricultura e da irrigação, que era particularmente popular na Anatólia. Dizia-se que certa vez ele ficou furioso e desapareceu, levando toda a fertilidade, até que um dos deuses que o seguiam conseguiu persuadi-lo a retornar.

No mito grego, o mesmo ciclo é explicado pela história de Perséfone. Esta bela deusa da fertilidade era filha de Deméter e Zeus. Sem o conhecimento de Deméter, Zeus prometera Perséfone a seu irmão Hades (Plutão), que então a levou para o mundo subterrâneo. Deméter procurou sua filha em todos os lugares, negligenciando seus deveres habituais de cuidar da terra. Mais tarde, Zeus enviou Hermes para resgatar Perséfone e Hades permitiu que a deusa passasse dois terços do ano na superfície. Seu ressurgimento anual do mundo inferior oferecia aos gregos uma explicação para a primavera.

Montanhas

||||||||||||||||||||||||||||||||||||||||||||||||||||||||||

Como as partes da Terra mais próximas dos céus, as montanhas sempre tiveram significado sagrado. Seu distanciamento as tornava moradas ideais para as divindades: os deuses cananeus viviam no monte Safon, perto de Ugarit, enquanto os deuses gregos habitavam o monte Olimpo.

O monte Meru, na tradição hindu, era uma montanha de proporções espantosas (ver pp. 40-41). O budismo o conhece como Sumeru, um planalto gigante, elevado, em forma de ampulheta, escalável somente para os puros de coração. Recriações do Sumeru podem ser encontradas no templo de Borobudur, em Java, e em Angkor Wat, no Camboja. Os templos astecas são elevações artificiais, assim como os zigurates babilônicos e sumérios são representações de montanhas sagradas.

Os japoneses consideram montanhas como o Fuji lugares sagrados e muitas vezes fora dos limites dos mortais. Na lenda xintoísta, o lar dos deuses, Takamagahara, encontra-se no topo do monte Takachiho. O antiquíssimo espírito Sanshin supostamente exerceria seu domínio sobre todas as montanhas da Coreia, enquanto Dangun, o lendário primeiro rei da nação, tornou-se, posteriormente, uma divindade da montanha.

Na tradição judaico-cristã, Moisés comungou com Deus no monte Sinai, recebendo os Dez Mandamentos. Os Evangelhos também relatam que Cristo foi levado ao topo de uma montanha por Satã, que lhe ofereceu tudo o que ele pudesse ver.

O monte Saint-Michel, no norte da França, foi um santuário solar celta antes de seu mosteiro ser estabelecido; o rei Artur teria matado um gigante ali. A montanha sagrada de Helgafell, na Islândia ocidental, não deveria ser contemplada por espectadores que não tivessem se lavado antes, e as criaturas vivas estariam imunes a ferimentos quando na montanha.

Alguns dizem que a fé move montanhas, mas no épico indiano *Ramáiana*, a mesma façanha é realizada por Hanuman, o deus macaco hindu. Enviado a uma montanha a fim de colher algumas ervas para tratar Lakshmana, que estava ferido, ele decide que seria mais rápido voltar com a montanha inteira.

PÁGINA ANTERIOR *Hokusai retrata o Sumeru, montanha em forma de ampulheta, casa dos deuses budistas.*
ACIMA *O herói japonês Tadatsune encontra a deusa do monte Fuji.*

PÁGINA ANTERIOR *Yamauba – personagem do folclore japonês – é uma mulher selvagem da montanha que se veste com folhas. O machado gigante pertence a Kintaro.*

ACIMA, À ESQUERDA *Como punição por sua rebelião, o gigante grego Encélado foi enterrado sob o monte Etna. Sua respiração flamejante alimenta o vulcão.*

ACIMA *O deus hindu Hanuman decide levar a montanha para Lakshmana. Aqui, sua cauda segura o Sol.*

Dilúvios

Muitas mitologias asiáticas e do Oriente Médio contêm um relato do dilúvio em que um deus desapontado decide acabar com a humanidade. O exemplo mais famoso vem da Bíblia: o pio Noé recebe ordens para construir uma arca a fim de abrigar exemplares de cada espécie de animal. Depois do dilúvio, Noé e sua família repovoam a Terra.

Na *Epopeia de Gilgamesh*, Utnapishtim é aconselhado pelo deus Enki a construir uma arca antes de que Enlil, irmão do deus, fizesse chegar um grande dilúvio. Quando a chuva termina, Utnapishtim envia um pássaro – provavelmente uma pomba, como na história de Noé – para encontrar terra firme, antes de desembarcar e oferecer sacrifícios a Enlil.

Na mitologia grega, Zeus também decide inundar o mundo. Prometeu, no entanto, avisa seu filho Deucalião para que prepare uma arca de provisões. Deucalião e sua esposa flutuam dentro da arca durante nove dias. Após retornarem à terra firme, Zeus lhes permite recriar a humanidade: eles atiram pedras por cima de seus ombros, e as pessoas aparecem. No mito hindu, o humano Manu é avisado do dilúvio por Vishnu (em forma de peixe) e consegue se salvar a tempo.

Tezcatlipoca ("espelho fumegante") foi um dos deuses criadores astecas, juntamente com Quetzalcóatl. Enquanto o mundo ainda estava inundado, Tezcatlipoca lutou com o monstro da terra, Cipactli, que abocanhou seu pé. Em seguida, Cipactli foi capturado, morto e transformado na Terra.

PÁGINA ANTERIOR *A humanidade é exterminada no Dilúvio bíblico.* ACIMA *O deus asteca Tezcatlipoca, que lutou contra Cipactli, o monstro da terra. O corpo de Cipactli se tornou a própria Terra.*

PÁGINA ANTERIOR *O Dilúvio do Antigo Testamento. Animais e seres humanos estão condenados a desaparecer.*
À DIREITA *A Arca de Noé, nesta gravura, é uma caixa elaborada.*

Mares

Os mares oferecem oportunidades de comércio e aventura, mas também estão cheios de mistérios e perigos – especialmente na forma de estranhas criaturas neles encontradas, como o monstruoso Leviatã da Bíblia ou a Serpente de Midgard, da lenda nórdica.

Os mares e oceanos são geralmente regidos por deuses. Na mitologia nórdica, o deus do mar é o gigante Aegir, enquanto nas histórias gregas o governante dos mares é Poseidon, irmão de Zeus e Hades. Poseidon se casou com a ninfa do mar, Anfitrite, e seus descendentes incluíam o monstro Caríbdis (ver p. 326) e o deus Tritão, que podia acalmar as ondas com sua concha. Quando enfurecido, Poseidon era capaz de provocar inundações e terremotos; cavalos e carruagens eram atirados ao mar para acalmá-lo. Afrodite, da mesma forma, nasceu do mar, emergindo dos genitais castrados de Urano.

Havia um espírito marinho japonês chamado Watatsumi. Um dia, o pescador Hoori, ao perder o anzol de seu irmão, desceu ao palácio coral vermelho e branco de Watatsumi para recuperá-lo. Lá ele conheceu Otohime, a filha do deus do mar, e mais tarde se casou com ela. Ambos teriam se tornado os avós do primeiro imperador do Japão. Watatsumi é às vezes confundido com o dragão marinho Ryujin. Outra história relata como um segundo pescador, Urashima Tar, visitou o palácio de Ryujin por três dias; quando ele voltou para sua aldeia, descobriu que estava a trezentos anos no futuro.

ABAIXO *Nereu, conhecido pelos gregos antigos como "o Velho do Mar", montado em um hipocampo e segurando um tridente.*
PRÓXIMA PÁGINA *Poseidon e Anfitrite viajam em uma quadriga, neste mosaico do século IV encontrado em Cirta (na Argélia moderna).*

ACIMA, À ESQUERDA *Tritão sopra sua concha para pacificar o mar.*
ACIMA *A deusa Afrodite (Vênus) nasceu do mar, emergindo de sua espuma.*
PRÓXIMA PÁGINA *William Blake retrata o Leviatã – que ocupa a posição inferior na gravura – como uma terrível serpente marinha. Acima dele está Behemoth, o seu equivalente em terra.*

波の海人 巌原沙汰波 里荒人沈浮麻 多柄とうひ

À ESQUERDA *A princesa japonesa Tamatori é perseguida por Ryujin depois de roubar uma pérola.*
PRÓXIMA PÁGINA *O deus hindu Varuna, senhor dos oceanos.*

వరుణ౦తు   Dieu de la pluie

115

107

Rios

Os rios são dotados de significado especial em todo o mundo, em parte por serem fontes de água doce. Foram dois rios, o Tigre e o Eufrates, que definiram as culturas da Mesopotâmia, enquanto o Nilo era essencial para a civilização egípcia, e seu transbordamento anual, vital para a agricultura. O deus egípcio Hapi, responsável pela inundação anual, é frequentemente retratado unindo os reinos do Alto e do Baixo Egito, assim como faz o Nilo.

Na Índia, o rio mais importante é o Ganges, personificado no hinduísmo como a deusa Ganga. Ganga caiu na terra (em cima da cabeça de Shiva) para ajudar a humanidade a purificar seus pecados. Outra divindade fluvial hindu, Sarasvati, era a consorte de Brama.

Na Bíblia, os quatro rios do Paraíso – Eufrates, Tigre, Pisom e Giom – vêm do Éden. E na mitologia grega, o rio Aqueronte separa os vivos dos mortos. Outros rios importantes do mundo inferior incluem o Estige (ódio), o Flegetonte (tristeza) e o Cócito (lamento). Os deuses fizeram juramentos solenes no Estige, e Aquiles foi mergulhado nele, quando bebê, para se tornar invencível. Na tradição budista japonesa, os mortos devem atravessar o rio Sanzu – os bons por uma ponte e os maus por águas repletas de dragões.

PÁGINA ANTERIOR *O deus Hades permanece próximo à fonte dos quatro rios do mundo inferior.*
À DIREITA *Assim como os antigos gregos atravessavam o Estige, na mitologia japonesa os mortos cruzam o rio Sanzu.*
ABAIXO *Os mortos são transportados através do rio Estige.*

Fontes

|||||||||||||||||||||||||||||||||||||||||||||

Na mitologia celta, as fontes eram os lares das deusas. Sulis, para dar um exemplo, era uma divindade associada ao lugar conhecido pelos romanos como *Aquae Sulis* (atual Bath, no sudoeste da Inglaterra). Na mitologia germânica, as fontes estavam associadas a Wotan (Odin), e, no século XI, Adão de Bremen descreveu como sacrifícios humanos mediante afogamento eram praticados em uma fonte sagrada no templo de Uppsala, na atual Suécia.

O poço de Urd fornecia água para a Árvore do Mundo nórdica, Yggdrasil, guardada pelas três Nornas (ver p. 192). A água desse poço era tão sagrada, que tornava branca qualquer coisa que a tocasse (como os cisnes, que teriam bebido dela).

Na Grécia antiga, cada fonte tinha sua própria ninfa. A mais famosa era a fonte de Pieria, na Macedônia, sagrada para as Musas e berço de criatividade e conhecimento. Aqueles que consultavam o Oráculo de Delfos primeiro se purificavam na fonte de Castália – que era protegida pelo monstro Píton, até que Apolo o matou.

Na Bíblia, um dos milagres de Moisés, enquanto ele conduzia os israelitas do Egito para a Terra Prometida, foi fazer verter água de uma rocha usando seu cajado. Na iconografia cristã mais recente, as fontes estão associadas à vida e à salvação.

ABAIXO *Na mitologia clássica, fontes e nascentes estão associadas a ninfas.*
PRÓXIMA PÁGINA, ACIMA *Coventina – aqui mostrada em sua forma tríplice – era uma deusa romano-britânica das fontes e dos poços. Este baixo-relevo é de um poço no norte da Inglaterra.*
PRÓXIMA PÁGINA, ABAIXO *Retrato de um artista do templo pagão de Uppsala, incluindo um poço sacrificial.*

ONTIS NYMPHA SACRI SOM
VM NE RVMPE QVIESCO ·

NAVE NAVE MOE

PÁGINA ANTERIOR, ACIMA *A imagem de Apolo e as Musas no monte Parnaso inclui a fonte de Castália, berço de inspiração.*
PÁGINA ANTERIOR, ABAIXO *Moisés golpeia uma rocha com seu cajado e a água brota, salvando os israelitas.*
ACIMA *Paul Gauguin capta o mistério de uma fonte sagrada na Polinésia.*

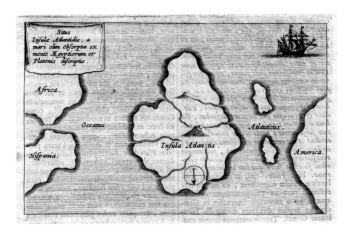

Ilhas

|||||||||||||||||||||||||||||||||

Os deuses gregos Apolo e Ártemis nasceram na ilha de Delos,
no mar Egeu. Mas essa não era uma ilha comum: Hera,
descobrindo que seu marido, Zeus, engravidara Leto, proibiu-a
de dar à luz em terra ou na água. Assim, a ilha de Delos, que
se acreditava estar flutuando, constituía a solução ideal. De
acordo com Homero, Éolo, o deus dos ventos, vivia em outra ilha
flutuante, chamada Eólia.

Na lenda arturiana, a ilha de Avalon era o lugar onde a
espada de Excalibur foi forjada. Lar da feiticeira Morgana Le Fay,
era uma ilha mágica, famosa por suas belas maçãs. Algumas
lendas dizem que o rei Artur foi levado até lá para morrer.

Algumas ilhas são paraísos na Terra. Na mitologia chinesa,
a ilha Penglai é a casa dos Oito Imortais. Nas lendas celtas
irlandesas, Tír na nÓg era a ilha da juventude, livre de doenças
e da morte. Uma lenda conta que o poeta Oisín a visitou por um
ano e, quando retornou à Irlanda, descobriu que trezentos anos
haviam se passado.

Os nomes maoris para as ilhas Norte e Sul da Nova
Zelândia são Te Ika-a-Maui e Te Waka-a-Maui, respectivamente
"o peixe de Maui" e "a canoa de Maui". O malandro polinésio
teria usado a "canoa" para pescar o "peixe".

A ilha mítica mais famosa, no entanto, é provavelmente
a lendária Atlântida. De acordo com Platão, os habitantes da
ilha tentaram invadir Atenas por volta de 9600 a.C., mas não
conseguiram. Logo depois, a ilha afundou.

PÁGINA ANTERIOR *O malandro Maui teria pescado a ilha Norte da
Nova Zelândia.*
ACIMA *Atlântida, situada no meio do oceano Atlântico, em imagem de
Athanasius Kircher.*
À DIREITA *A mítica ilha Penglai, lar dos Oito Imortais na mitologia
chinesa.*

Árvores

|||||||||||||||||||||||||||||||||||||||||||||||

A maior de todas as árvores míticas era Yggdrasil, o freixo gigante que, na mitologia nórdica, sustentava o universo. Suas raízes eram constantemente mordiscadas por cobras, enquanto uma águia guardava seu topo. As árvores desempenhavam um papel importante na mitologia germânica: uma árvore mágica gigante no templo de Uppsala permanecia verde durante todo o ano, enquanto tribos germânicas usavam bosques sagrados para sacrifícios, assim como os celtas.

Bosques sagrados são encontrados em todo o mundo. Os antigos ritos associados a um bosque em Ariccia, próximo de Roma, inspiraram *The Golden Bough* (O ramo de ouro), de James Frazer. Os bosques de carvalho eram particularmente associados à deusa romana da caça, Diana. As árvores de carvalho também eram sagradas para os druidas. Na Nigéria, o Bosque Sagrado de Osun-Osogbo é dedicado à deusa da fertilidade, Osun.

No cristianismo, a queda de Adão em desgraça começou quando ele comeu o fruto proibido da Árvore do Conhecimento;

algumas lendas apócrifas afirmam que a cruz de Cristo foi feita de sua madeira. A Árvore da Vida, por sua vez, aparece na arte mesopotâmica cuidada por sacerdotes, deuses ou reis. Os mitos taoistas falam de pessegueiros que oferecem imortalidade, assim como as maçãs douradas de Iduna, que, na mitologia germânica, proporcionam vida eterna.

Sidarta Gautama, o fundador do budismo, nasceu sob uma árvore shala, depois que sua mãe se agarrou a um de seus ramos. Mais tarde, ele recebeu a iluminação sob uma figueira sagrada, agora conhecida como Árvore de Bodhi.

Segundo uma lenda, o belo Adônis, por quem Afrodite se apaixonou, nasceu de uma árvore – sua mãe, Mirra, tinha sido transformado em uma. E de acordo com alguns mitos egípcios, Ísis e Osíris também nasceram de uma árvore, uma acácia

ACIMA *As dríades são espíritos arbóreos clássicos, particularmente associadas aos carvalhos.* PRÓXIMA PÁGINA *A ninfa grega Dafne é transformada em um loureiro enquanto o apaixonado Apolo a persegue.*

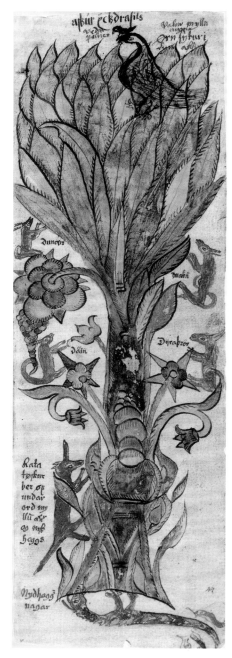

ÀESQUERDA *Um espírito arbóreo japonês.*
ACIMA *A Árvore do Mundo nórdica, Yggdrasil,
e os animais que habitam nela.*
PRÓXIMA PÁGINA *A Virgem Maria e Eva
alimentam a multidão com uma curiosa
árvore, simbolizando, no lado esquerdo, a
salvação, e no direito, a morte.*

3

O GÊNERO
IIIIIIIIIIIIIIIIIIIIIIIIIIIII
HUMANO
IIIIIIIIIIIIIIIIIIIIIIIIIIIII

Por serem autoconscientes, os humanos precisam explicar a si mesmos para poderem se encaixar em uma narrativa. De onde viemos? Quem nos criou, por que e como? Embora nós, humanos, gostemos de acreditar que temos algum tipo de propósito, os mitos, muitas vezes, minimizam o papel da humanidade. Na mitologia mesopotâmica, por exemplo, os deuses criaram o homem para que fizesse o trabalho deles, ou seja, escavar canais de irrigação. De acordo com a Bíblia e o texto maia *Popol Vuh*, fomos criados com a finalidade de louvar o criador.

Como fomos criados? Os antigos egípcios acreditavam que o deus com cabeça de carneiro Khnum fez os seres humanos a partir do barro. O mito aborígine australiano sustenta que o homem foi liberado da argila: nós já existíamos e os antigos criadores simplesmente nos tiraram do lodo primordial.

Outras tradições, algumas vezes, relatam que a humanidade surgiu em etapas. Para os astecas, nós evoluímos de uma forma inferior para outra, superior, em uma sequência de cinco eras, correspondendo aos Cinco Sóis. A mitologia grega, no entanto, inverte a ordem, registrando a decadência do homem, da esplêndida Idade do Ouro (sob o domínio de Cronos) para a Idade do Ferro, quando os humanos vivem na miséria.

Em outras ocasiões, a humanidade surge instantaneamente, já formada. No mito sul-americano Chibcha, a primeira mulher emergiu de um lago e deu à luz um filho, com quem então procriou (a maioria das mitologias tolera o incesto, ao menos nos estágios iniciais da criação). O Adão bíblico é criado ao comando de Deus e feito à própria imagem do criador; em outras tradições, muitos deuses assumem a forma humana, tão insignificante quanto a humanidade.

Eva, no entanto, foi criada de uma das costelas de Adão. Em muitos mitos, o homem foi criado antes da mulher (estabelecendo assim, ou tentando justificar, uma hierarquia), e as mulheres ocupam um lugar ambíguo na mitologia, refletindo seu papel na sociedade contemporânea. A grega Pandora é enviada pelos deuses para causar problemas entre os homens. Na narrativa maia *Popol Vuh*, os deuses Gucumatz e Tepeu, temendo que suas criações masculinas fossem demasiado perfeitas, decidem obscurecer-lhes o julgamento, criando as mulheres. Mesmo assim, o *Popol Vuh* deixa claro que ambos os sexos são essenciais para a reprodução. As diferenças entre os sexos são enfatizadas nas genitálias ampliadas das Hermas gregas e das imagens celtas Sheela na Gigs.

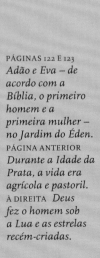

PÁGINAS 122 E 123
Adão e Eva – de acordo com a Bíblia, o primeiro homem e a primeira mulher – no Jardim do Éden.
PÁGINA ANTERIOR
Durante a Idade da Prata, a vida era agrícola e pastoril.
À DIREITA *Deus fez o homem sob a Lua e as estrelas recém-criadas.*

Muitas mitologias concentram-se no vínculo entre irmãos e irmãs. Os deuses tendem a se acomodar em árvores genealógicas regulares com as quais os humanos poderiam se identificar, frequentemente compartilhando o ciúme e as disputas mesquinhas presentes nas famílias humanas. No reino dos mortais, a história bíblica de Caim e Abel é um conto arquetípico de irmãos adversários, em que um mata o outro por ser o favorito de Deus. Na lenda romana, Rômulo discute com Remo, seu irmão gêmeo, e o mata.

Os gêmeos exercem um fascínio particular; um é quase sempre bom, e o outro é mau. Os iorubás da Nigéria atribuem um alto valor aos gêmeos (sua taxa de natalidade de gêmeos é a mais alta do mundo), que possuem uma divindade particular, o orixá Ibeji. Se um dos gêmeos morre, é retratado em uma escultura, a fim de restaurar o equilíbrio.

Na Bíblia, a "Primeira epístola de são Paulo aos coríntios" descreve o corpo humano como um templo. As diferentes partes do corpo certamente têm seu próprio simbolismo: os olhos, por exemplo, representavam os deuses no Egito antigo, enquanto o coração era visto como a morada da alma. Curiosamente, durante o processo egípcio de mumificação, que preparava os mortos para o pós-vida, o cérebro era descartado como sem valor, enquanto o coração era deixado no corpo. O cabelo também aparece nos mitos, às vezes vinculado à força, como o do personagem bíblico Sansão.

Os mitos tentam explicar o comportamento humano. O funcionamento interno de nossas mentes permanece até hoje um grande mistério para nós. Muitos mitos estão interessados no estranho processo do sono, e os sonhos sempre foram uma fonte de revelação. Os sonhos, como os experimentados por José no Antigo Testamento, ou o da visão da escada de anjos por Jacó, conectam os humanos ao universo sobrenatural.

A Esfinge propôs a Édipo um enigma atemporal: o que anda com quatro pernas de manhã, duas pernas à tarde e três pernas à noite? A resposta era o ser humano, que engatinhava, caminhava e depois mancava usando um cajado. O envelhecimento anuncia a chegada da morte, o maior mistério de todos. A morte, na mitologia, não é necessariamente o final, sendo muitas vezes apenas simbólica e seguida do renascimento ou do despertar de uma nova vida.

O autossacrifício – a morte de um para o bem de muitos – é um tema moralizante comum na mitologia, encontrado no cristianismo e nas mitologias asteca e nórdica, em que Odin se enforca. Outros personagens, como Cástor e Pólux, escolhem morrer (em meio período) no lugar do outro. No entanto, mesmo depois da morte, existe a promessa de ressurreição: após a decisiva batalha final do Ragnarok, na qual todos morrem, ao menos alguns deuses nórdicos irão renascer, guiados por Balder, o deus da paz.

À ESQUERDA *Ishtar, a deusa mesopotâmica da fertilidade, cercada por criaturas marinhas e aladas.*
PRÓXIMA PÁGINA *O Juízo Final da humanidade retratado em uma gravura do século XV.*

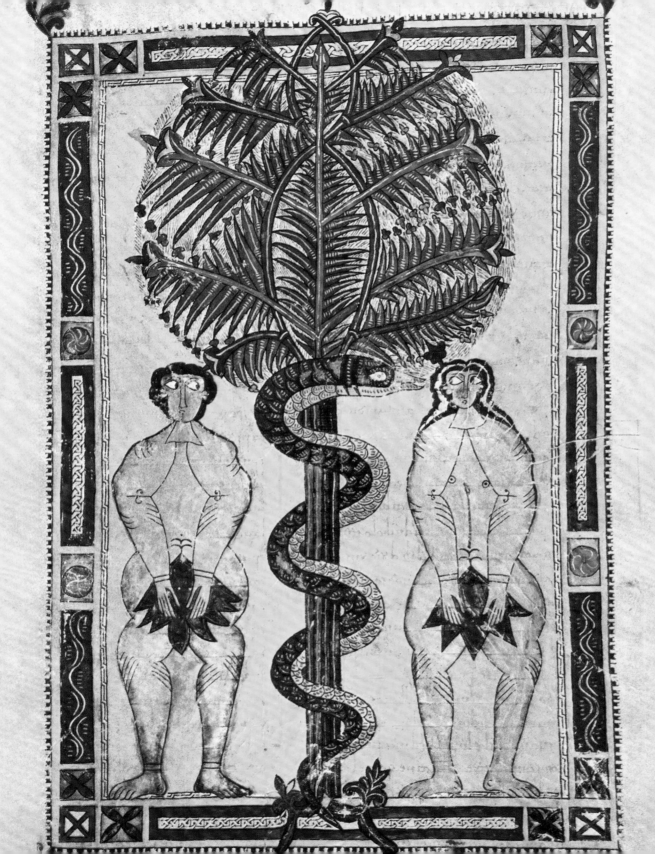

A criação
do homem

Na mitologia polinésia, o primeiro homem, Tiki, foi criado a partir do ocre vermelho. O texto maia *Popol Vuh* descreve que os deuses mágicos Gucumatz e Tepeu tentaram fazer seres humanos do barro e da argila antes de se decidirem pelo milho. Em algumas tradições gregas, Prometeu moldou a humanidade da água e da argila; e a segunda história da criação contida no Gênesis diz que "o Senhor Deus criou o homem do pó da terra e insuflou em suas narinas o sopro da vida; e o homem tornou-se alma vivente".

Uma tradição grega sustenta que Zeus criou os humanos na Idade do Ouro, quando eles não precisavam trabalhar – uma situação similar à do Jardim do Éden. Seguiram-se as Idades da Prata e do Bronze (que não deve ser confundida com a Idade do Bronze histórica), antes da chegada dos heróis. O período final é a Idade do Ferro, em que vivemos atualmente. Nada é perfeito, e estamos cercados por guerras e conflitos, trabalho pesado e fadiga. Depois do Dilúvio (ver p. 99), Deucalião e sua esposa Pirra repovoaram o mundo lançando pedras por cima de seus ombros: as dele tornaram-se homens; as dela, mulheres.

A mitologia também procura explicar a grande variedade do gênero humano. Na tradição japonesa, o primeiro casal era formado por Izanagi e Izanami. Eles mergulharam uma lança na salmoura primordial, e, quando uma gota pingou da lança, formou-se a primeira ilha, onde passaram a viver. Seu primeiro filho nasceu deformado porque na cerimônia de casamento a mulher, Izanami, falara primeiro. Na segunda vez, Izanagi foi o primeiro a falar, e, a partir de então, eles tiveram muitos filhos saudáveis. Nammu, a deusa mesopotâmica da criação, foi desafiada por Ninmah, a deusa mãe (bêbada), que alegava também poder criar humanos. Apesar de todas as suas criações serem deficientes – alguns cegos, alguns mancos –, Enki atribuiu-lhes funções na sociedade.

PÁGINA ANTERIOR *Depois de comer o fruto proibido, Adão e Eva envergonharam-se de sua nudez.*
À DIREITA *Izanagi e Izanami – o primeiro homem e a primeira mulher do Japão – criam ilhas usando uma lança celestial.*

REPARATIO GENERIS HVMANI

Os nórdicos Líf e Lífthrasir serão os únicos sobreviventes do Ragnarok, o apocalipse, e depois repovoarão a Terra.
Deucalião e sua esposa, Pirra, atiram pedras que se transformam em pessoas.
Alguns mitos descrevem Prometeu como o criador do homem. Aqui, ele dá vida às suas criações com fogo.

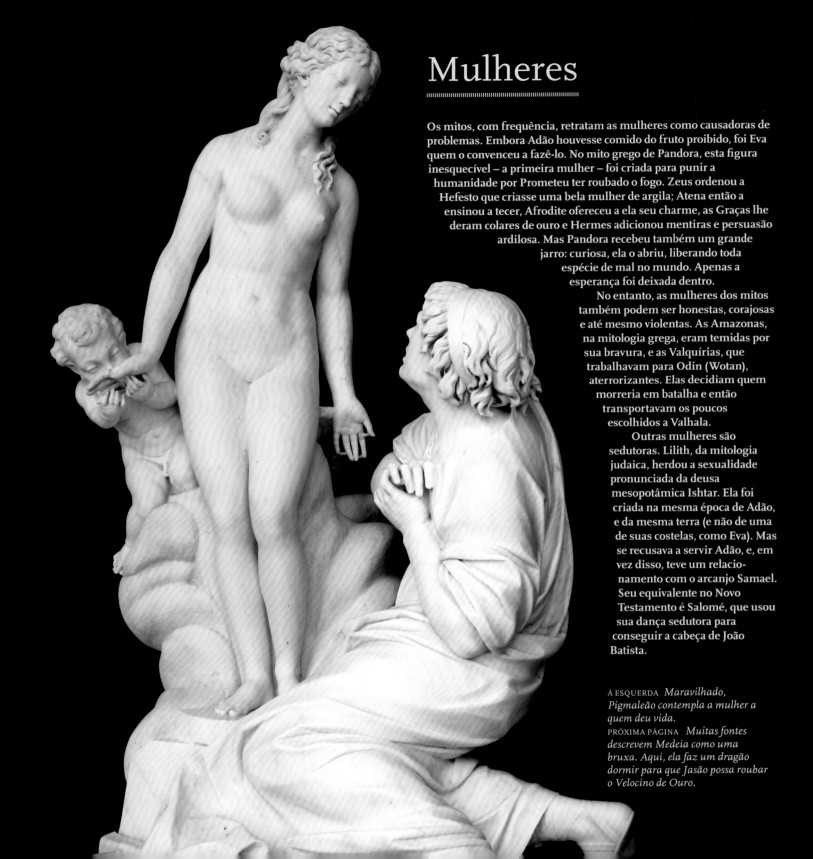

Mulheres

Os mitos, com frequência, retratam as mulheres como causadoras de problemas. Embora Adão houvesse comido do fruto proibido, foi Eva quem o convenceu a fazê-lo. No mito grego de Pandora, esta figura inesquecível – a primeira mulher – foi criada para punir a humanidade por Prometeu ter roubado o fogo. Zeus ordenou a Hefesto que criasse uma bela mulher de argila; Atena então a ensinou a tecer, Afrodite ofereceu a ela seu charme, as Graças lhe deram colares de ouro e Hermes adicionou mentiras e persuasão ardilosa. Mas Pandora recebeu também um grande jarro: curiosa, ela o abriu, liberando toda espécie de mal no mundo. Apenas a esperança foi deixada dentro.

No entanto, as mulheres dos mitos também podem ser honestas, corajosas e até mesmo violentas. As Amazonas, na mitologia grega, eram temidas por sua bravura, e as Valquírias, que trabalhavam para Odin (Wotan), aterrorizantes. Elas decidiam quem morreria em batalha e então transportavam os poucos escolhidos a Valhala.

Outras mulheres são sedutoras. Lilith, da mitologia judaica, herdou a sexualidade pronunciada da deusa mesopotâmica Ishtar. Ela foi criada na mesma época de Adão, e da mesma terra (e não de uma de suas costelas, como Eva). Mas se recusava a servir Adão, e, em vez disso, teve um relacionamento com o arcanjo Samael. Seu equivalente no Novo Testamento é Salomé, que usou sua dança sedutora para conseguir a cabeça de João Batista.

À ESQUERDA *Maravilhado, Pigmaleão contempla a mulher a quem deu vida.*
PRÓXIMA PÁGINA *Muitas fontes descrevem Medeia como uma bruxa. Aqui, ela faz um dragão dormir para que Jasão possa roubar o Velocino de Ouro.*

EVA PRIMA PANDORA

ACIMA *Esta intrigante pintura combina os mitos de Eva e Pandora em uma única personagem.*
PRÓXIMA PÁGINA *Pigmaleão observa, extasiado, sua escultura ganhar vida.*

Gêmeos

Rômulo e Remo, os dois protagonistas do mito da fundação de Roma, seriam descendentes de Eneias pelo lado materno e teriam como pai Hércules (Héracles) ou Marte. Quando adultos, eles discutiram sobre onde Roma deveria ser fundada, e, na luta que se seguiu, Remo foi morto.

Às vezes, os gêmeos seguiam caminhos opostos. Segundo diversas histórias zoroastristas, Aúra-Masda e Arimã nasceram da mesma mãe, mas, enquanto o primeiro personificou o bem e a sabedoria, o segundo encarnou o mal. Essa dualidade fundamental permeia todo o zoroastrismo. Na mitologia asteca, Xolótl era o gêmeo de Quetzalcóatl, mas representava a morte, enquanto seu irmão simbolizava a vida; ele era a estrela da tarde, e Quetzalcóatl, a estrela da manhã.

No texto maia *Popol Vuh*, entre os personagens principais estão os heróis gêmeos Hunahpú e Ixbalanqué. Ambos matadores de monstros, eles desceram ao mundo inferior, onde derrotaram os governantes locais em um jogo de bola. Os irmãos, posteriormente, tornaram-se o Sol e a Lua.

Na mitologia clássica, figuram os célebres gêmeos Cástor e Pólux. Conhecidos como dióscuros, eram filhos da mesma mãe, mas de pais diferentes. Como consequência, Cástor era mortal e Pólux, imortal. Quando Cástor morreu, Pólux desistiu de "metade" de sua imortalidade para salvá-lo. Eles foram transformados na constelação de Gêmeos. De modo semelhante, embora o pai de Héracles fosse Zeus, seu irmão gêmeo, Íficles, era filho de Anfitrião, mortal.

PÁGINA ANTERIOR *Os heróis gêmeos maias desceram ao mundo subterrâneo, onde encontraram os Senhores de Xibalbá, um dos quais é mostrado aqui.*
À DIREITA *A famosa escultura de Rômulo e Remo sendo amamentados por uma loba.*

À DIREITA *Irmãos gêmeos têm grande importância na cultura e mitologia iorubás e são frequentemente retratados em esculturas.* PRÓXIMA PÁGINA *Cástor e Pólux foram gêmeos famosos da mitologia clássica e símbolos de autossacrifício.*

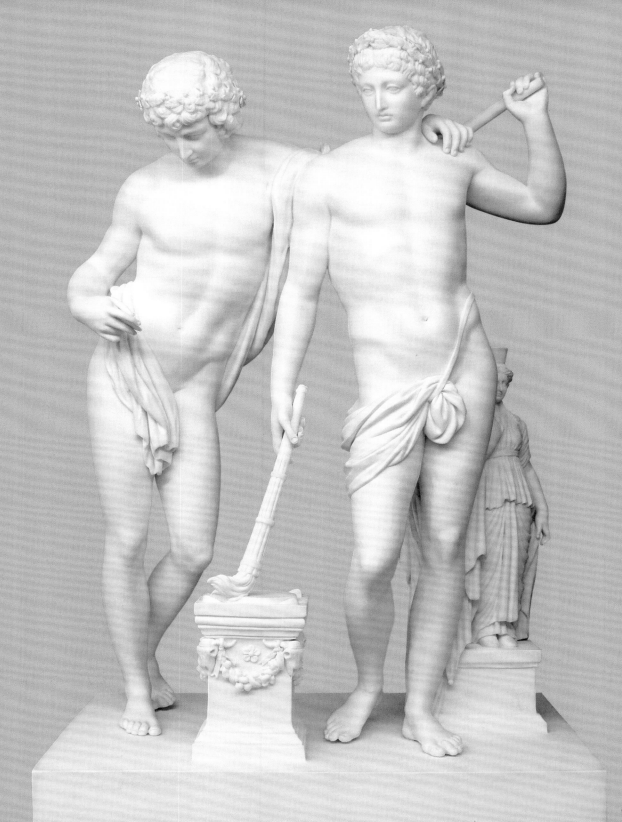

A doutrina do "pecado original" – resultado direto da desobediência de Adão e Eva a Deus no Jardim do Éden – sempre esteve intimamente associada ao sexo, e os cristãos acreditam que esse vínculo somente foi quebrado pela Virgem Maria. Na Grécia, a deusa virgem era Ártemis, cujos servos faziam voto de castidade. Depois de ser seduzida por Zeus, Calisto, uma de suas seguidoras, foi punida por Ártemis.

Muitos mitos deleitam-se com deuses praticando travestismo. Na mitologia nórdica, Thor veste-se de noiva para se infiltrar no palácio dos gigantes e recuperar seu martelo. E, após matar acidentalmente o herói Ífito, Héracles é obrigado a servir à rainha Ônfale vestido como mulher. A homossexualidade também aparece na mitologia: uma das histórias mais conhecidas diz respeito à sedução, por Zeus, do belo Ganimedes, e o infeliz Orfeu foi assassinado pelas mulheres por "inventar" a homossexualidade.

Talvez o mais famoso mito envolvendo sexualidade seja o de Édipo. Advertido pelo Oráculo de Delfos de que iria matar seu pai e casar com sua mãe, Édipo ficou transtornado. Quando descobriu que a profecia havia sido cumprida, arrancou os próprios olhos. E sua mãe se enforcou.

ABAIXO *Orfeu teria morrido nas mãos de mulheres trácias, furiosas por ele haver convertido seus maridos à homossexualidade.*
PRÓXIMA PÁGINA, ACIMA *O belo Ganimedes foi levado por Zeus – em forma de águia – para servir como copeiro dos deuses.*
PRÓXIMA PÁGINA, ABAIXO *Zeus seduz a formosa Calisto, disfarçado como Ártemis.*

PÁGINA ANTERIOR *Vishnu
reclina-se sobre a serpente
Shesha. Na flor-de-lótus
que brota do umbigo
de Vishnu está sentado
Brama.*
À DIREITA *No Antigo
Testamento, Jacó sonha
com uma escada repleta
de anjos que se estende até
o céu.*

O olho

|||||||||||||||||||||||||||||||||||||||

Os antigos egípcios usavam o olho como símbolo de proteção, referindo-se a ele como o "Olho de Hórus", o "Olho de Rá", ou como o Udyat. Alguns mitos sustentavam que Seth, na forma de um javali selvagem, arrancara o olho esquerdo de Hórus, a Lua. As noites caíram em completa escuridão, mas Tot procurou e recuperou o olho, restaurando-o aos céus.

Odin sacrificou um olho para beber da fonte da sabedoria e Polifemo, o Ciclope, foi cegado por Ulisses. Na Bíblia, Jacó engana o pai cego para se tornar seu principal herdeiro, usando uma veste que imitava o corpo peludo de seu irmão Esaú. E entre seus muitos milagres, Jesus curou vários cegos.

Os olhos também podem ser uma fonte de poder. O conceito da maldição do "mau olhado" pode ser encontrado em todo o mundo e sua malevolência repelida com amuletos. O deus Shiva é muitas vezes representado com um olho vertical extra na testa. Embora o olho esteja voltado principalmente para dentro, Shiva também pode usá-lo para queimar o desejo até as cinzas.

ACIMA *Os milagres de Jesus Cristo incluíam a cura dos cegos.*
ABAIXO *Esta gravura rajastani do século XVIII mostra o "terceiro olho" – um dos centros tradicionais de poder espiritual no hinduísmo.*
PRÓXIMA PÁGINA *Um artesão egípcio se ajoelha sob o Udyat (Olho de Hórus).*

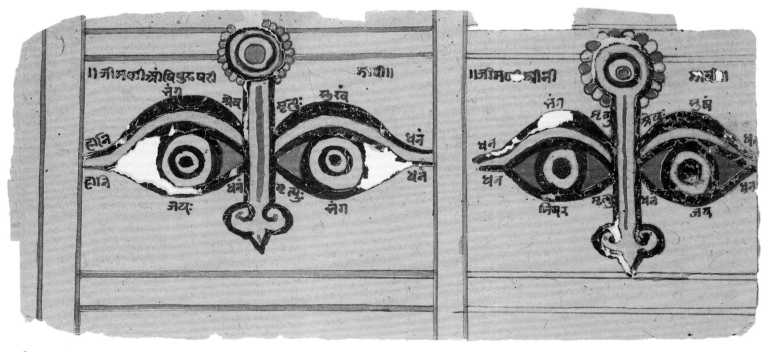

O papel do coração na anatomia humana foi mal compreendido durante um longo período. Entretanto, os egípcios o viam como talvez o mais importante órgão do corpo, a ponto de ser deixado dentro do morto durante a mumificação. Acreditava-se que, assim que um indivíduo chegasse ao mundo inferior, seu coração seria pesado contra a pena de Maat para determinar se ele levara uma vida boa, digna de recompensa.

Em alguns ramos do cristianismo, o sagrado coração de Jesus tornou-se um símbolo popular. Originado de visões místicas, significa a pureza, o sacrifício e o amor de Cristo pela humanidade. De modo semelhante, sua mãe, Maria, teria um coração imaculado.

PÁGINA ANTERIOR *Anúbis, o deus com cabeça de chacal, faz a pesagem do coração do escriba Ani, nesta passagem do Livro dos Mortos.*
ACIMA *Um diagrama chinês do coração acima de dois símbolos medicinais.*
ACIMA, À DIREITA *As almas do purgatório observam os cinco ferimentos sofridos por Jesus durante a crucificação. Dentre eles, figuram duas imagens de seu sagrado coração.*

Autossacrifício

O autossacrifício é um tema comum entre deuses e heróis que colocam o bem da sociedade ou o acesso ao conhecimento acima de suas próprias vidas. Um bom exemplo é Prometeu, que presenteou a humanidade com o fogo sabendo que provocaria a ira de Zeus. Como punição, seu fígado era rasgado diariamente por uma águia (e diariamente ele se regenerava).

Para a mitologia asteca, a vida só foi possível por causa do autossacrifício de Nanauatzin. Após a extinção do Quarto Sol, esse deus humilde queimou-se em uma pira para se tornar o Quinto Sol, Tonatiuh, que a partir de então exigia sacrifícios humanos constantemente. Outra divindade, Xipe Totec, esfolou a si mesma para alimentar a humanidade. Por esse motivo, recebeu oferendas de peles humanas esfoladas e muitas vezes é retratado vestindo uma pele esfolada.

Bodes expiatórios redimem o pecado de todo um povo – como fez Jesus Cristo. Sua crucificação pelos romanos foi um sacrifício de sangue, para pagar pelo pecado original de Adão e Eva. Assim como seu nascimento fora humilde, sua morte foi humilhante. O ciclo de eventos em torno da morte de Jesus tornou-se essencial para o cristianismo e os instrumentos de sua tortura são sustentáculos da iconografia cristã.

O deus nórdico Odin também se sacrificou. De acordo com a *Edda poética*, ele se enforcou em uma "árvore ventosa", muitas vezes entendida como Yggdrasil (ver p. 118), a fim de saber a verdade sobre as runas da cabeça de Mímir, localizadas em suas raízes. Segundo o texto *Hávamál*, Odin também foi trespassado, ecoando o ferimento à lança que Cristo sofreu na cruz. Uma pedra rúnica do século X, de Jelling, na Dinamarca, mostra Jesus crucificado em uma árvore – provavelmente uma mistura das duas tradições.

ACIMA, À ESQUERDA *A máscara de jade de Xipe Totec, o "deus esfolado".*
ACIMA *Pedra rúnica de Jelling, Dinamarca, que parece fundir o sacrifício de Jesus com o de Odin.*
PRÓXIMA PÁGINA *Prometeu é acorrentado a uma rocha, e seu fígado é diariamente rasgado por uma águia.*

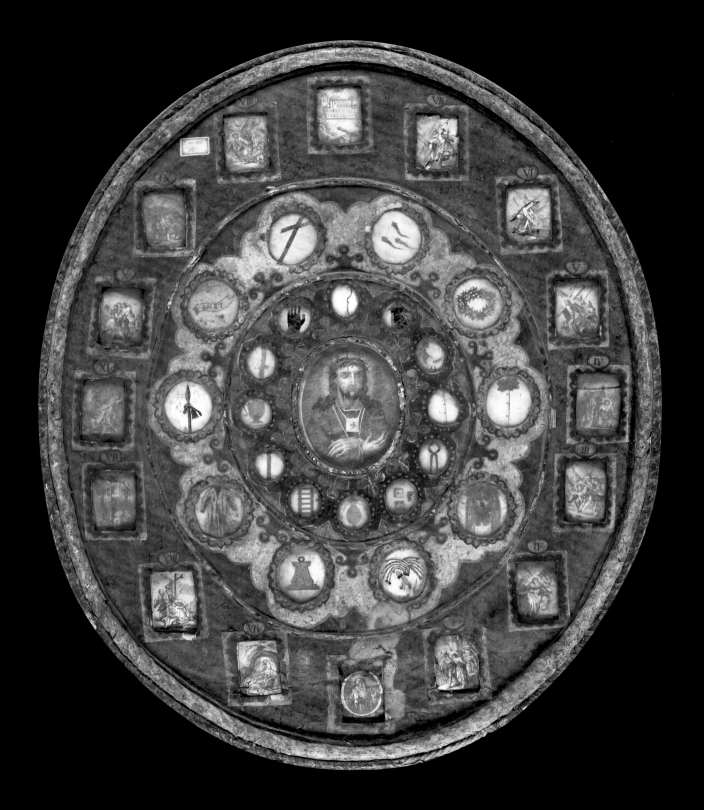

Morte

As mitologias em geral, sempre indo além da vida cotidiana, recusam-se a aceitar que a morte é o fim. Os egípcios rotineiramente mumificavam os membros mais importantes da sociedade, conforme as instruções de Anúbis. Os falecidos eram enterrados com objetos de que poderiam necessitar na vida seguinte, incluindo imagens de criados. Palavras mágicas do *Livro dos Mortos* ajudavam os finados a atravessar o mundo subterrâneo rumo à pós-vida. Depois de ter o coração pesado (ver p. 150), os justos seguiam para um local de descanso chamado Aaru. Os sepultamentos incas também incluíam itens para a vida além da morte.

Os espíritos dos antepassados eram muitas vezes considerados poderosos – como no caso da China e do

PÁGINA ANTERIOR *Este papiro egípcio ilustra os mortos bebendo das águas em Duat, o mundo inferior.*
ACIMA *As Valquírias recolhiam as almas dos mortos heroicos para as conduzir a Valhala.*
À DIREITA *Os mortos, silenciosos e envoltos em mortalhas, são transportados através do rio Estige por Caronte.*

Japão – e era vital apaziguá-los. O deus grego da morte era Tânato, irmão de Hipnos (sono). Hermes conduzia os mortos ao mundo inferior, onde atravessavam o rio Estige no barco de Caronte; os mortos eram sempre enterrados com uma moeda para pagar a viagem. Depois de passar por Cérbero, o cão de três cabeças, chegavam a uma encruzilhada de onde seguiam para os celestiais Campos Elísios, ou para o infernal Tártaro (ver p. 73), ou para o Campo de Asfódelos (semelhante ao purgatório católico, um lugar para a purificação dos pecados).

Na mitologia nórdica, os guerreiros mais valentes eram retirados do campo de batalha pelas Valquírias (ver p. 132) e levados a Valhala, o salão de Odin em Asgard, para comer, beber e esperar pelo Ragnarok, quando combateriam o lobo gigante Fenrir.

ABAIXO *Hipnos e Tânato recolhem o corpo de um herói morto no campo de batalha.*
PRÓXIMA PÁGINA *O eternamente destemido Héracles enfrenta a figura da Morte.*

ACIMA *O julgamento de um falecido na corte de Yama, o deus hindu e budista do mundo inferior.*
PRÓXIMA PÁGINA *A morte de Buda.*

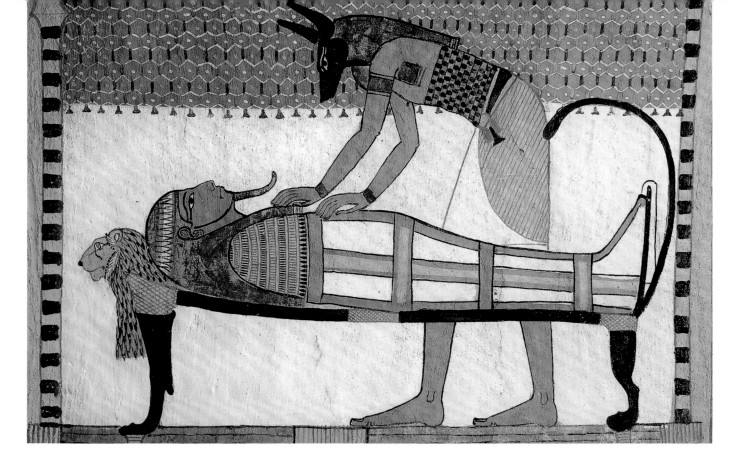

Vida eterna e ressurreição

A imortalidade tende a ser uma prerrogativa dos deuses, mas mesmo eles, às vezes, precisam trabalhar para isso. Os deuses hindus, temendo perder a imortalidade, decidiram criar mais *amrita*, o néctar da vida eterna. Para fazer isso, foram obrigados a agitar o Oceano de Leite, o que conseguiram usando uma serpente enrolada ao monte Meru equilibrado sobre uma tartaruga (um avatar de Vishnu). Uma das extremidades da serpente foi puxada pelos demônios, e a outra, pelos deuses. Quando o *amrita* foi produzido, demônios e deuses lutaram por ele; felizmente, os deuses foram vitoriosos.

Nos ciclos míticos nórdico e germânico, a juventude dos deuses provém das maçãs douradas cultivadas pela deusa Iduna. Os deuses gregos comiam ambrosia, o que lhes dava a vida eterna; enquanto isso, Medeia, esposa do herói Jasão, convenceu as filhas do rei Pélias de que, assassinando e cozinhando seu pai, ele poderia recuperar a juventude. Pélias não sobreviveu, e Jasão e Medeia foram exilados.

O mais famoso conto de ressurreição é o de Jesus, narrado no Novo Testamento. De acordo com relatos apócrifos, durante os três dias seguintes à sua crucificação, Cristo desceu ao inferno, onde resgatou as almas dos mortos.

A história nórdica de Balder também combina ressurreição e imortalidade. Todos os seres vivos juraram não lhe fazer mal – a não ser o visco, considerado demasiado insignificante. Os deuses se divertiam disparando flechas em Balder. Mas, apesar de sua aparente invulnerabilidade, ele foi morto por um dardo feito de visco. Hela prometeu que Balder poderia voltar à terra dos vivos se todas as coisas chorassem por ele. Todos assim fizeram, exceto uma giganta, que declarou: "Que Hela conserve os seus!". A giganta era o malandro Loki disfarçado, que mais tarde foi punido. Após a destruição do Ragnarok, espera-se que Balder renasça.

PÁGINA ANTERIOR *Anúbis prepara a múmia de um trabalhador morto para a
vida seguinte.*
ACIMA *A agitação do Oceano de Leite produziu o néctar da vida eterna.*

ACIMA *Depois da ressurreição, Cristo subiu aos céus, tendo seus discípulos como testemunhas.*
PRÓXIMA PÁGINA *Um dos milagres mais espetaculares de Cristo foi ressuscitar Lázaro dentre os mortos.*

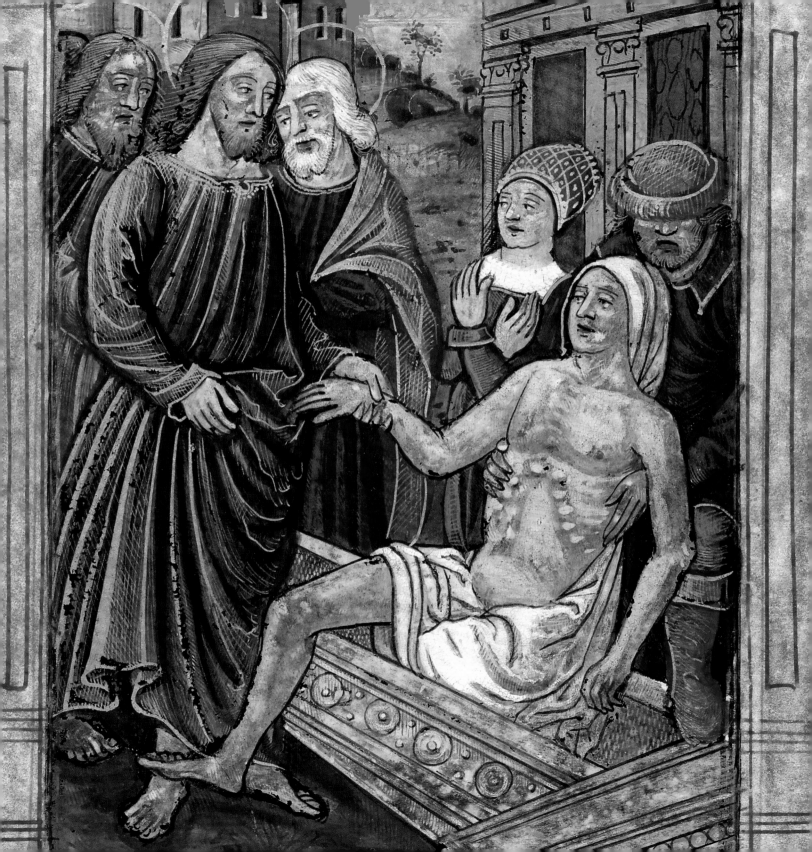

4

DÁDIVAS DOS
||||||||||||||||||||||||||||||||||||||||||||
DEUSES
||||||||||||||||||||||||||||

A mitologia está relacionada, direta ou indiretamente, aos seres humanos e às raízes que determinadas culturas compartilham. Muitos mitos tentam explicar não apenas quem somos, mas também as origens da sociedade e da civilização. Este capítulo faz considerações sobre como a mitologia tem moldado a humanidade, a sociedade e a religião.

Um dos personagens mais comuns nas mitologias do mundo é o chamado "herói cultural": uma pessoa, um deus ou uma criatura que deu presentes ou ensinou técnicas à humanidade. A antiga figura grega de Prometeu, por exemplo, é vista como um herói cultural por ter oferecido o fogo à humanidade – um benefício anteriormente restrito aos deuses. Algumas vezes, os heróis culturais são malandros: Maui, na Polinésia e na Nova Zelândia, é um bom exemplo.

Heróis culturais frequentemente combinam muitas funções diferentes. Por exemplo, o semimítico imperador chinês Shennong não foi apenas o fundador de uma dinastia imperial, mas também ensinou a agricultura a seu povo. De fato, Shennong – cujo nome significa "divino agricultor" – teria provado centenas de diferentes ervas a fim de avaliar seu valor medicinal. Um livro atribuído a ele, *o Código das fontes medicinais do agricultor divino*, é considerado por muitos a mais antiga obra sobre medicina chinesa. Ele também teria descoberto o chá. Assim como vários heróis culturais, ele transpõe a fronteira entre fantasia e realidade.

A lenda de Shennong revela a importância fundamental da agricultura para a civilização, na medida em que a humanidade começava a assumir o controle da terra e a se estabelecer em comunidades fixas. Muitas mitologias associam o cultivo a um deus particular. Na mitologia grega, era o caso de Deméter, que mais tarde tornou-se a romana Ceres (da qual deriva a palavra "cereal"). Há também figuras como Triptólemo, que teria presenteado os humanos com trigo. O deus maia Viracocha foi outro prolífico herói cultural. Caminhando entre os humanos disfarçado de mendigo, ele ensinava geometria, arquitetura, agricultura e astronomia. O deus egípcio Tot, contudo, recebeu crédito por inventar a escrita, a astronomia e a astrologia, e acreditava-se que Cadmo introduziu a escrita na Grécia.

Os deuses também nos deram as artes. Os gregos e romanos atribuíam habilidades poéticas às Musas, que variavam, em número, entre três e nove, enquanto na *Edda prosaica* a poesia surge de uma guerra entre as duas tribos divinas, Aesir

e Vanir. Para assinar a trégua, ambos os clãs cuspiram em um caldeirão; desse líquido emergiu um homem chamado Kvasir, e de seu sangue originou-se o hidromel da poesia.

O papel do álcool na sociedade humana tem um significado especial em diversas mitologias. Dioniso, o deus grego da colheita da uva, festejava o consumo de vinho, e seu idoso companheiro Sileno estava permanentemente bêbado. Na Europa medieval, acreditava-se que Caim, o filho de Adão, teria inventado o álcool.

Caim talvez seja mais conhecido por ter cometido o pecado supremo de assassinar seu irmão. Uma função importante da mitologia (e da religião) é explicar e defender as leis de uma sociedade, especialmente se elas puderem ser mostradas como possuindo origem divina. Deus teria dado os Dez Mandamentos diretamente a Moisés, assim como as leis da antiga Mesopotâmia foram supostamente passadas dos deuses a seus governantes. A infração às leis resulta em punição (tanto na Terra como na pós-vida), da qual a mitologia oferece muitos exemplos.

Além de uma forte liderança e de sistemas de justiça bem definidos, as sociedades complexas dependem de hábeis artesãos – e mais uma vez a mitologia oferece protótipos. Hefesto, um dos deuses olímpicos, era ferreiro e manufaturou as sandálias aladas de Hermes, a armadura de Aquiles, o arco e as flechas de Eros, todos os tronos dos deuses e até mesmo Pandora, a partir do barro. Curiosamente, ele sofria da mesma claudicação que afligia os ferreiros terrenos (causada pelo uso do arsênico no trabalho).

Este capítulo também examina como os mitos têm retratado certas qualidades abstratas – amor e beleza, por exemplo, mas também o pecado da arrogância ou do orgulho excessivo aos olhos dos deuses. O arcanjo Satã foi punido por sua presunção e lançado ao inferno; Deus demoliu as ambições da humanidade, representadas pela Torre de Babel; e quando a princesa grega Níobe alegou ser superior a Leto, porque tivera mais filhos, Apolo e Ártemis – prole divina de Leto – assassinaram os filhos e as filhas de Níobe.

Em troca das bênçãos dos céus, os deuses sempre esperavam algo em retorno. Também analisamos as maneiras como a humanidade procurava interagir com os deuses, mais comumente na forma de adoração e sacrifício. O Deus do Antigo Testamento estava preparado para fazer Abraão sacrificar seu filho, Isaac, enquanto os astecas iam à guerra a fim de manter o fluxo necessário de sacrifícios humanos para seus deuses.

PÁGINA ANTERIOR *Tântalo – até o pescoço com água que não consegue beber – tenta alcançar, em vão, as maçãs acima dele. Foi punido por assassinar seu filho e servi-lo aos deuses.*
ACIMA *Sekhmet, a deusa egípcia da vingança divina. A outra divindade com cabeça de leão, Bastet, era a deusa da fertilidade.*
ACIMA, À DIREITA *Tot e Hórus vertendo a água da vida sobre Ptolomeu XII.*

Agricultura

A deusa grega Deméter teria dado sementes de trigo e uma carruagem de dragões a Triptólemo, para que ele pudesse difundir os benefícios da agricultura pelo mundo. Na tradição africana dogon, os gêmeos conhecidos como Nommo ensinaram a agricultura à humanidade.

Em outros lugares, os deuses agrícolas refletem o tipo de cultivo local. Nas Américas, existe uma grande variedade de deuses do milho. O deus maia do milho muitas vezes aparece com os Heróis Gêmeos e é às vezes identificado com seu pai, Hun-Hunahpú. A história que conta como os gêmeos recuperaram os restos de seu pai do mundo inferior sugere um vínculo com a aquisição da agricultura; alguns também o veem como o deus da morte e da ressurreição, refletindo o ciclo anual da colheita. O milho foi usado mais tarde como oferenda a Quetzalcóatl. Na tradição xintoísta, o deus do arroz era Inari, que estava sempre acompanhado de raposas mensageiras. Nas Filipinas, o povo ifugao confecciona estátuas do deus do arroz, Bulul, para proteger a colheita.

Uma história conta que, enquanto assistia a uma cerimônia da lavoura, Buda ficou chocado ao ver como era árduo o trabalho do touro e do agricultor. Entristecido, ele iniciou sua primeira meditação sobre os sofrimentos da vida.

À ESQUERDA *Triptólemo senta-se na carruagem alada que usava para distribuir sementes pelo mundo.*
ABAIXO *Bulul, a figura mítica filipina, protege as sementes e a colheita.*
PRÓXIMA PÁGINA *Dois "navajos sagrados" oferecem a divina planta do milho à humanidade.*

Realeza

Muitos reis terrenos alegaram origem divina. A mitologia chinesa, em particular, torna nublada a fronteira entre história e lenda, remontando à realeza da época dos Três Soberanos: Shennong, Huang Di e o semidivino Fu Xi, que supostamente reinou no terceiro milênio a.C. Diz-se que Huang Di (o "imperador amarelo") ensinou a agricultura chinesa, a domesticação de animais e como construir abrigos.

Na tradição coreana, Dangun – filho do regente do céu, Hwanung – desceu à terra para trazer cultura ao homem. A tradição afirma que o primeiro imperador japonês foi Jimmu, que rastreou sua ascendência até Izanagi (ver p. 129) e Amaterasu (ver p. 42).

No Egito, Osíris era um deus e foi o primeiro faraó, enquanto na Mesopotâmia cada cidade possuía seu próprio mito de fundação e primeiro governante; o herói mítico Gilgamesh aparece na Lista Real Sumeriana, que data de cerca de 2100 a.C. O primeiro rei inca, Manco Capac, teria sido descendente do deus criador Viracocha através de seu filho, o deus sol Inti.

À ESQUERDA *O herói Gilgamesh foi quase certamente inspirado em um monarca da vida real.*
ACIMA *Fu Xi foi reconhecido como o primeiro imperador da China, além de inventor da escrita, do casamento, da pesca e da pecuária.*
PRÓXIMA PÁGINA *Dangun – o lendário primeiro rei da Coreia – seria descendente dos deuses.*

Leis e justiça

Todas as mitologias têm algo a dizer sobre as origens da lei e dos códigos de conduta. Diversos livros do Antigo Testamento, por exemplo – em particular, Deuteronômio e Êxodo –, incorporam extensas listas de regras. A Bíblia narra que Moisés recebeu os Dez Mandamentos – para judeus e cristãos, os princípios fundamentais que definem o comportamento moral e religioso – diretamente de Deus, no cume do monte Sinai. Retornando aos israelitas, ele os encontrou adorando um bezerro de ouro (ver p. 254) e, na sua fúria, destruiu as tábuas onde as leis estavam inscritas – antes de voltar ao topo da montanha para obter outras.

No hinduísmo, o Manusmriti, ou "Leis de Manu", é um discurso supostamente proferido por Manu, o primeiro humano. Ele explica o conceito de darma: a lei eterna do cosmo e as obrigações religiosas e sociais de cada indivíduo. Na mitologia mesopotâmica, as leis cósmicas teriam sido guardadas por Ishtar. Após estuprar Ninlil, o deus Enlil foi julgado por um tribunal composto de cinquenta grandes deuses e sete decisores; como punição, foi enviado ao mundo inferior.

PÁGINA ANTERIOR *A representação budista do Kshitigarbha, que distribui justiça às almas no mundo inferior.*
ABAIXO *Moisés exibe aos israelitas as tábuas divinas contendo os Dez Mandamentos.*

ACIMA, À ESQUERDA
Hamurábi, rei da Babilônia, recebe as tábuas da lei do deus-sol Shamash.
À ESQUERDA *Estampa de um selo cilíndrico mostrando um homem-pássaro amarrado, Zu, sendo julgado por Enki (também conhecido como Ea), que está sentado. Ele foi acusado de tentar roubar a "tábua do destino".*

Somente através da lei divina – simbolizada pelas duas tábuas centrais – os cristãos podem esperar escapar da mão de ferro da morte.

Guerra

Para antigas civilizações como Grécia, Egito e Mesopotâmia, a guerra era parte da vida cotidiana. As guerras também figuram constantemente em épicos mitológicos. A prolongada Guerra de Troia, com o tempo, deu início às aventuras de Eneias e Ulisses, enquanto o *Mahabharata* termina com a grandiosa Guerra de Kurukshetra, travada por dois grupos dinásticos.

A vitória dependia da obtenção do apoio dos deuses da guerra. Acreditava-se que a mesopotâmica Ishtar, a deusa da guerra vestida de armadura, concebia o combate como um jogo. Os gregos contavam com dois deuses da guerra principais, Ares (cruel e brutal) e Atena (especialista em tática e estratégia). Outras divindades eram mais especializadas: Hachiman era o deus xintoísta-budista da instrução de guerra, e o deus nórdico Tyr era o patrono do combate singular. Outros ofereciam inspiração aos guerreiros: a deusa hindu Durga – um avatar de

Devi –, por exemplo, instilava persistência e coragem no campo de batalha. A irlandesa Morrígan era uma deusa da batalha e assumia a forma de um corvo.

A divindade guerreira mais temível era provavelmente Sekhmet, a deusa com cabeça de leão (ver p. 171). Ela era sanguinária e selvagem, e, para acalmá-lo, os egípcios realizavam um festival anual em sua honra.

Na mitologia asteca, a guerra era praticamente uma obrigação religiosa. Tezcatlipoca, o deus guerreiro, considerava seu trabalho provocar guerras, garantindo dessa forma um fluxo constante de cativos – que poderiam ser, mais tarde, sacrificados aos deuses.

ACIMA *Durga sendo armada por outros deuses hindus.*
PRÓXIMA PÁGINA *Um retrato persa de Marte, que carrega uma espada de duas lâminas, um tridente, um punhal e uma clava.*

PÁGINA ANTERIOR
No quadro, o Amor (Vênus) vence a Guerra (Marte). Cupido desamarra as sandálias de Marte.

À DIREITA *Durga assassina o búfalo-demônio.*

Fogo

A descoberta e o domínio do fogo representaram um grande avanço para a humanidade, distinguindo-a dos animais e provendo calor e os meios para cozinhar. Inevitavelmente, surgiram muitas histórias sobre como os humanos adquiriram essa vantagem.

Na mitologia grega, o titã Prometeu roubou o fogo dos deuses e o escondeu em um funcho, provocando a ira de Zeus. Sua história encontra paralelos em outras partes do mundo. Na Polinésia, por exemplo, o fogo foi roubado e trazido à humanidade pelo herói cultural Maui (ver p. 70), enquanto no Brasil foi o jovem herói Botoque quem se apossou do fogo das onças.

Existem muitos deuses do fogo. Xiuhtecuhtli é o "senhor do fogo" asteca (e deus da turquesa). No Japão, o deus xintoísta do fogo é Kagutsuchi, filho do primeiro casal, Izanagi e Izanami. Infelizmente, seu nascimento resultou na morte flamejante de sua mãe. Seu pai, furioso, cortou a cabeça do filho, liberando uma nova geração de deuses.

Agni, o deus hindu do fogo, é muitas vezes representado com duas ou três cabeças, sugerindo que seu dom seja, talvez, ambíguo. Algumas lendas dizem que ele foi o primeiro filho do grande deus criador Brama.

O fogo também está associado a criaturas mitológicas: do dragão à salamandra (que teria nascido das chamas) e à fênix (que sofria combustão espontânea apenas para ressurgir das cinzas).

PÁGINA ANTERIOR,
À ESQUERDA
*Xiuhtecuhtli, o
"senhor do fogo"
asteca.*
PÁGINA ANTERIOR, À
DIREITA *Estátua de
Agni, o deus hindu
do fogo.*
À DIREITA *Gravura
de Agni, o deus da
cabeça flamejante,
montado em sua
cabra.*

Bordel

Lith. de C. Motte.

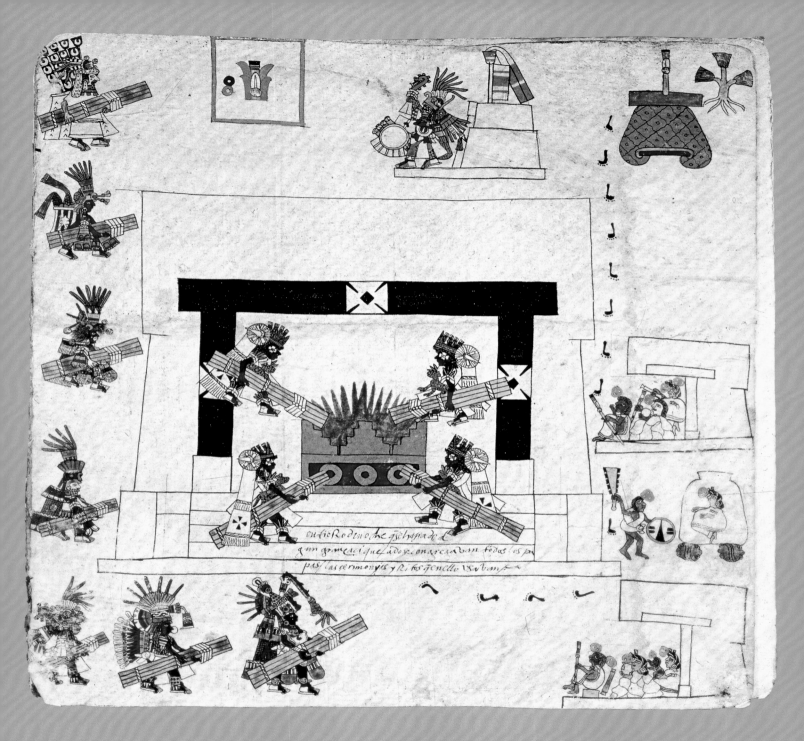

ACIMA *A cerimônia do fogo asteca, em que quatro sacerdotes queimam "feixes de anos".*
PRÓXIMA PÁGINA *Sem fogo não há vida: Prometeu vem diante do homem com seu precioso presente.*

A coletânea As Mil e Uma Noites *contém diversas histórias de amor. Nesta imagem,* Sayf Ul-Maluk e Badi'a al-Jamal *— respectivamente um príncipe e um gênio, ou daemon — superaram suas diferentes origens para ficarem juntos. Eles são transportados para o alto com a ajuda de mais gênios.*

Destino e sorte

Os conceitos de destino e sorte são tentativas de explicar os eventos, algumas vezes aleatórios, que sucedem aos humanos. Nos mitos, eles ocupam um papel importante e às vezes um herói se vê obrigado a lutar contra uma maldição ou profecia. A história de Édipo é um ótimo exemplo: apesar do cuidado extraordinário que tomou, ele acabou matando seu pai e se casando com sua mãe, como fora previsto.

Os gregos antigos acreditavam que o destino de cada indivíduo era determinado no nascimento por três tecelãs conhecidas como Parcas (Moiras), chamadas Cloto, Láquesis e Átropos. Suas equivalentes nórdicas eram as Nornas – três mulheres que visitavam toda criança recém-nascida para decidir que tipo de vida ela teria.

A história de Meléagro prova que ninguém podia escapar às Parcas. Foi profetizado que sua vida terminaria quando um determinado pedaço de madeira fosse queimado. A mãe de Meléagro decidiu enganar o destino escondendo a madeira em um baú, mas tempos depois usou-a para fazer uma fogueira; seu filho morreu instantaneamente.

Para os romanos, a sorte era personificada pela deusa Fortuna. Deuses da sorte também são encontrados no Japão e na China. As culturas andinas mostravam grande interesse na arte divinatória: assim como os gregos visitavam o oráculo em Delfos, entre os incas havia um adivinho, em Pachacamac, que era porta-voz, talvez, de seu principal deus, Viracocha.

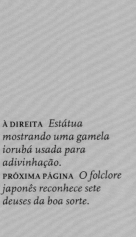

À DIREITA *Estátua mostrando uma gamela iorubá usada para adivinhação.*
PRÓXIMA PÁGINA *O folclore japonês reconhece sete deuses da boa sorte.*

Música

As propriedades calmantes da música são bem conhecidas na mitologia (Hermes a emprega para pôr o feroz Cérbero para dormir, por exemplo). Ela, no entanto, também pode levar à discórdia. O sátiro Mársias desafiou o deus Apolo para uma competição musical – e foi esfolado vivo por sua presunção. O rei Midas foi testemunha de outro concurso musical – entre Apolo e Pã, que havia criado suas primeiras flautas de bambu –, mas, imprudentemente, preferiu o desempenho de Pã. Sua recompensa foi um par de orelhas de asno.

O chinês imortal Fu Xi, que viajou entre o céu e a terra, ensinou os homens a tocar um instrumento de cordas simples. Segundo o mito chinês, o alaúde foi inventado pelo lendário imperador Di Ku; quando tocado, fazia até mesmo os faisões e as fênices dançarem.

No mito grego, o inventor da lira foi o menino Hermes, embora ninguém tocasse o instrumento melhor que Apolo.

O rei Davi, do Antigo Testamento, também foi um harpista talentoso e teria composto os Salmos. As harpas aparecem frequentemente nas mitologias nórdica e celta, e o épico alemão *Canção dos Nibelungos* conta que o rei Gunther, quando jogado em um ninho de cobras com as mãos atadas, continuou a tocar o instrumento com os pés.

O sistro, uma espécie de chocalho, era usado no culto da deusa egípcia Hator, que é muitas vezes retratada segurando esse instrumento. Na mitologia asteca, o deus da música era Xochipilli.

ACIMA *Krishna e Radha dançando na chuva com três músicos.*
PRÓXIMA PÁGINA *Ossian, o lendário poeta irlandês, evoca os espíritos da mitologia celta através de sua arte.*

ACIMA, À ESQUERDA *O rei Davi teria sido um harpista talentoso e tradicionalmente recebe os créditos pela composição dos Salmos.*
ACIMA *O sátiro Mársias ensina o jovem músico Olimpo a tocar flauta.*
PRÓXIMA PÁGINA *Orfeu encanta os animais com sua música.*

Sacrifício

O sacrifício consiste em oferecer plantas, animais ou até mesmo seres humanos aos deuses, espíritos ou ancestrais (este último é uma tradição comum na China e no Japão).

Para os astecas, o sacrifício humano era necessário para conservar o Sol. Os povos germânicos também praticavam sacrifícios humanos: por enforcamento (em imitação a Odin; ver p. 152) e afogamento (ver p. 112). A disputa entre Caim e Abel começou quando a oferenda de grãos de Caim foi rejeitada por Deus, enquanto o sacrifício de animais de Abel foi aceito.

Dizia-se que Prometeu enganou Zeus ao lhe oferecer dois tipos de sacrifício – um consistindo de carne dentro de um estômago e o outro, do osso de um animal envolto em pele e gordura. Zeus escolheu os ossos e a pele, estabelecendo, assim, a regra para sacrifícios futuros: os humanos comiam a carne e queimavam os ossos. No hinduísmo, Agni, o deus do fogo, traz sacrifícios aos deuses.

Havia limites para as exigências dos deuses. O Deus do Antigo Testamento submeteu Abraão a um teste exigindo que ele sacrificasse seu filho Isaac, mas, pouco antes do ato, enviou a Abraão um carneiro, para ser imolado em lugar de Isaac. E quando Licaonte sacrificou uma criança, Zeus o transformou em um lobo.

ABAIXO *Abraão está prestes a sacrificar seu filho Isaac, mas um anjo o detém.*
PÁGINA ANTERIOR *Recriação romantizada dos ritos envolvidos na adoração romana de Ísis.*

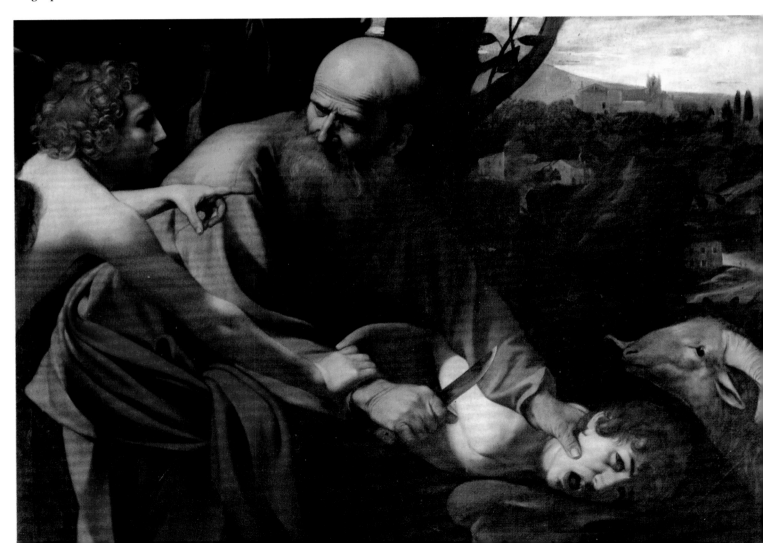

Estupidez

As tentativas da humanidade de superar os deuses sempre terminaram em desastre. Um bom exemplo é a história bíblica da Torre de Babel, que o Gênesis descreve como uma torre construída para alcançar o céu. Deus, furioso com a arrogância de seus construtores, confundiu-lhes as línguas; os trabalhadores, incapazes de se comunicar uns com os outros, abandonaram o projeto.

Outro exemplo é a história de Dédalo, criador do labirinto do Minotauro. O rei Minos não o deixava sair de Creta, e por isso Dédalo confeccionou asas de cera e penas para ele e seu filho, Ícaro. Este ignorou os avisos do pai para não se aproximar muito do Sol; suas asas derreteram e ele caiu para a morte.

ACIMA *Licaonte ofereceu a Zeus um filho em sacrifício e foi transformado em lobo pelo ultraje.*
PRÓXIMA PÁGINA *Escapando de Creta com seu pai, Ícaro voou perto demais do Sol e caiu no mar.*

À ESQUERDA *Três personagens da mitologia grega e suas punições: Sísifo carregando uma pedra, Íxion preso a uma roda e Tântalo esforçando-se para beber água.*
ABAIXO *Os lábios de Loki foram costurados como punição.*
PRÓXIMA PÁGINA *Um anjo conduz uma nova alma ao inferno.*

Punição

Para os gregos, o Tártaro era uma região do mundo inferior reservada à punição. Lá, Sísifo é obrigado a empurrar eternamente uma rocha até o alto de uma colina enquanto Tântalo é mantido em estado permanente de fome e sede. A visão cristã do inferno compartilha muitas características com o Tártaro.

Loki, o deus nórdico trapaceiro, encontrava-se frequentemente em apuros. Em uma ocasião, Loki encomendou alguns objetos mágicos (incluindo a lança de Odin) de um grupo de anões, os Filhos de Ivaldi. Loki declarou que esses ferreiros eram sem paralelo, mas o anão Brokk apostou que poderia produzir objetos ainda mais impressionantes e fabricou o martelo de Thor, Mjölnir. Quando Brokk foi reivindicar seu prêmio – a cabeça de Loki – este disse que ele poderia ter sua cabeça, mas não tinha nenhum direito sobre seu pescoço. Brokk então decidiu costurar os lábios do ardiloso deus com um cordão de couro.

5

O REINO
||||||||||||||||||||||||||

ANIMAL
||||||||||||||||||||||||||

Os seres humanos são fundamentais para as mitologias que criaram, mas não são as únicas criaturas na Terra. De fato, muitos mitos esforçam-se para diferenciar a humanidade do reino animal. Embora, de acordo com a Bíblia, Deus tenha criado os animais antes dos homens, Ele decidiu que um ser superior era necessário para manter a ordem das coisas.

Nem todas as tradições compartilham esse ponto de vista. Os nativos americanos acreditavam e acreditam que o gênero humano originou-se dos animais e que o espírito de um animal é, em todos os sentidos, comparável ao nosso. A mitologia cheyenne fala de um tempo em que os animais podiam falar com os humanos. O búfalo insistia que era igual ao homem, e por isso uma corrida foi organizada. Formaram-se dois grupos: o primeiro era composto de um búfalo, um veado e um antílope, e o outro, de um homem, um cão, um falcão e uma águia. O segundo grupo venceu, e a partir de então os cães tornaram-se os melhores amigos dos humanos, e águias e falcões ganharam nosso respeito. Os outros animais passaram a ser caçados.

O culto de adoração de animais começou cedo na história da humanidade: as pessoas já estavam distinguindo deuses animais e antropomórficos por volta de 30 mil a.C., como sugere a pequena estátua de um homem-leão encontrada na caverna de Hohlenstein-Stadel, na Alemanha, que data do mesmo período. Os predadores mais poderosos de qualquer região particular eram geralmente venerados: havia o culto do jaguar na Mesoamérica, do leão no Egito e do urso entre os lapões da Finlândia e os nativos americanos. Os ainus do Japão sacrificavam ursos, às vezes criando-os desde filhotes. As serpentes, universalmente temidas, são talvez os animais de maior recorrência nos mitos; os escorpiões também aparecem repetidamente nas mitologias da Ásia Ocidental e do Egito. Com o tempo, os deuses animais gradualmente deram lugar a divindades zooantropomórficas, como as encontradas no antigo Egito e na Mesopotâmia.

Híbridos de animais e humanos são elementos essenciais das lendas grega e romana – criaturas famosas incluindo o Minotauro, centauros, harpias, esfinges, quimeras e sereias. No hinduísmo, a divindade híbrida mais conhecida é, provavelmente, o deus com cabeça de elefante, Ganesha. Existem várias histórias contando como ele adquiriu essa forma, mas uma delas descreve como seu pai, Shiva, furioso,

cortou-lhe a cabeça original e depois a substituiu com a do primeiro animal que viu. Os deuses do México e da América do Sul têm, frequentemente, formas animais variáveis: Quetzalcóatl, por exemplo, significa literalmente "serpente emplumada". Às vezes, as criaturas escolhidas para veneração eram surpreendentes. Um dos símbolos mais onipresentes no antigo Egito era o escaravelho: a imagem do inseto rolando sua bola de esterco foi comparada à do deus solar Khepri guiando a esfera celeste pelo céu.

A domesticação e a criação de animais estavam intimamente ligadas à sociedade humana. A primeira espécie a ser domesticada foi provavelmente o cão, cerca de 15 mil anos atrás, e, logo depois, a ovelha. A carne, a lã e o couro vêm dos animais e eram todos vistos como dádivas dos deuses. Um mito nativo-americano sustenta que todos os animais de caça estavam originalmente aprisionados em uma caverna; os humanos tinham apenas que abrir a porta e tirar aquele de que necessitavam. Um dia, porém, os animais escaparam, e agora os humanos precisam caçar sua presa.

Algumas vezes, os animais foram fundamentais na criação e na nutrição dos humanos. Na mitologia nórdica, a vaca Audumbla deu forma aos primeiros seres humanos lambendo um bloco de sal. De acordo com a lenda grega, Zeus, escondido em uma caverna quando menino, foi criado pela cabra Amalteia. A deusa mãe frígia, Cibele, foi criada por animais selvagens, enquanto Rômulo e Remo eram amamentados por uma loba, e a menina Atalanta, por uma ursa. Em cada caso, a selvagem criação recebida proporcionava à divindade ou ao herói uma conexão imediata com a natureza.

Os animais estão frequentemente associados a deuses particulares. Zeus está vinculado às águias, e Odin, seu equivalente nórdico, a lobos e corvos. Os deuses hindus possuem uma série de animais de montaria sencientes: Ganesha aparece sentado no dorso de um rato, enquanto outros montam pavões, touros e tigres. Afrodite é por vezes retratada cavalgando um ganso ou cisne, enquanto a carruagem de Dioniso é puxada por tigres.

Ocasionalmente, os animais podem revelar-se astutos e trapaceiros. Na tradição nativo-americana, o Coiote e o Corvo são ambos "malandros". No Japão, ninguém confia em raposas (menos ainda nas velhas com várias caudas, por serem metamórficas). Os animais podiam, de fato, causar a ruína: a serpente no Jardim do Éden tentou os primeiros seres humanos ao pecado, e um cavalo gigante de madeira enganou os troianos, que acolheram em sua cidade tropas gregas escondidas no artefato, levando à sua destruição ao final de dez anos de cerco.

PÁGINA ANTERIOR
Os animais têm um significado especial na mitologia aborígene australiana, particularmente no "Tempo dos Sonhos".
À DIREITA *O simurgh persa – uma criatura tão mítica quanto o pássaro Roca – comanda um exército de aves.*

Vacas e touros

O culto do touro é um dos mais antigos da cultura indo-europeia. Ele remonta à antiga Mesopotâmia: *A epopeia de Gilgamesh* conta como o deus celeste Anu controlava uma criatura conhecida como o Grande Boi do Céu, que fora enviado para matar Gilgamesh. Os chifres em forma de Lua crescente dos touros os tornou vinculados ao astro.

No antigo Egito, o touro Ápis foi inicialmente importante como um deus da fertilidade e mais tarde como protetor dos mortos. Acredita-se que o bezerro de ouro bíblico adorado pelos israelitas no deserto seria uma extensão do culto de Ápis. O equivalente feminino de Ápis era a vaca Hator, que amamentou o menino Hórus.

Evidências arqueológicas revelam que outro antigo culto do touro foi localizado em Creta, embora pouco se saiba sobre sua natureza exata. Segundo a lenda, o Minotauro foi o produto do encontro entre Pasífae, a esposa do rei Minos de Creta, e um touro branco que emergiu do mar. Afrodite fez Pasífae apaixonar-se pelo touro, e Dédalo (ver p. 200) construiu uma vaca de madeira para enganar o animal, permitindo à rainha que se escondesse e copulasse com ele.

Este não foi o único romance envolvendo bovinos no mito grego. Há uma lenda contando que Zeus se transformou em um belo touro branco a fim de seduzir Europa. Outra história relata como Zeus, para evitar que Hera descobrisse sua traição, transformou a ninfa Io em uma novilha. Quando sua esposa descobriu, enviou um tavão para perseguir a ninfa até os confins da terra. O moderno Bósforo, na Turquia, significa literalmente "passagem da vaca", porque Io teria chegado à Ásia por esse local.

A mitologia nórdica sustentava que a humanidade principiou com a vaca Audumbla, que criou os primeiros seres humanos lambendo um bloco de sal. Quatro rios de leite fluíam de suas mamas, lembrando os quatro rios do Paraíso.

As vacas continuam sagradas para os hindus de hoje. O touro Nandi é a montaria de Shiva e o guardião da residência do deus, bem como seu primeiro defensor.

À DIREITA *Um curioso busto egípcio de duas cabeças reunindo o deus romano Antínoo e o deus touro Ápis.*
PRÓXIMA PÁGINA *Shiva e Parvati montados no touro Nandi.*

PÁGINA ANTERIOR *A pintura de um ataúde egípcio decorado mostra o touro como um deus da criação e do renascimento.*

ACIMA, À DIREITA *Uma representação incomum do Minotauro, em que apenas seu tronco é humano.*

À DIREITA *Um touro na Porta de Ishtar, na antiga Babilônia.*

À ESQUERDA *A concepção hindu da Vaca Sagrada, fonte de prosperidade e lar de todos os deuses.*
PRÓXIMA PÁGINA *Dédalo constrói uma vaca de madeira que permitirá a Pasífae copular com seu touro favorito.*

Tigres, leões e jaguares

Como predadores dominantes, os grandes felinos ocupam um lugar de destaque na mitologia. Leões, em particular, estão associados a divindades. A divindade babilônica Nergal é frequentemente retratada como um leão, enquanto as deusas egípcias Sekhmet e Bastet têm, cada uma, uma cabeça de leão, assim como o deus da guerra, Maahes. As deusas Hera e Cibele utilizavam carruagens puxadas por leões, e templos hindus contêm imagens de um poderoso leão mágico chamado Yali, que às vezes é retratado com presas de elefante.

Os leões são adversários temíveis. A primeira tarefa de Héracles foi derrotar o Leão da Nemeia, famoso por sua pele imbatível, razão pela qual o herói o estrangulou. Então, arrancou a pele do leão usando as próprias garras da criatura e a vestiu. No Antigo Testamento, Daniel é salvo por Deus da morte na cova dos leões.

O jaguar (onça) é essencial nas mitologias asteca e maia, estando associado aos deuses Tezcatlipoca e seu equivalente maia, Ahau Kin. Para os maias, os jaguares podiam viajar entre os vivos e os mortos e protegiam a família real. A antiga civilização olmeca também descrevia em sua arte um tipo de homem-jaguar, semelhante ao lobisomem europeu. Os astecas possuíam guerreiros jaguares que se vestiam imitando esses animais.

No hinduísmo, um tigre chamado Dawon era a montaria ocasional de Durga; do mesmo modo, na mitologia chinesa o tigre é, algumas vezes, montado pelos deuses, sendo também rival do dragão.

PÁGINA ANTERIOR *Na Coreia, os espíritos das montanhas são frequentemente acompanhados de tigres.*
ACIMA *Este prato, originário do Afeganistão, mostra Cibele em sua biga puxada por leões.*

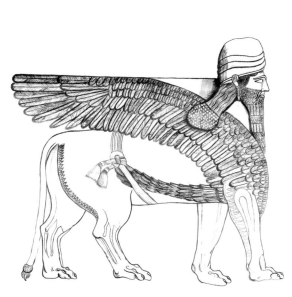

ACIMA *A deusa Durga montando o dorso de um tigre.*
À ESQUERDA *Um estranho híbrido de homem e leão, na cidade de Nínive.*
À DIREITA *O jaguar ocupa uma importante posição na mitologia asteca e inspirou uma ordem de guerreiros.*

Uma divindade protetora chinesa acompanhada de um tigre.

趙公明紂之猛將能伏大虎

Águias

As águias estão frequentemente associadas aos deuses e à realeza. O rei sumério Etana, querendo um filho, recebeu uma águia enviada pelo deus-sol Shamash. A águia levou Etana ao céu, onde a deusa Ishtar acolheu seu pedido, e assim a primeira dinastia suméria foi fundada. O pássaro mesopotâmico Anzu, um híbrido de leão e águia, causava tempestades com suas asas.

A mitologia nativo-americana inclui o Pássaro-Trovão, cujo bater de asas gera trovões e seus olhos, relâmpagos. Alguns mitos descrevem a Águia como assistente do Pássaro-Trovão. No México, as tropas de elite dos astecas eram formadas por guerreiros-águias, soldados do Sol.

Na mitologia grega, a águia era um dos disfarces preferidos de Zeus – usada, por exemplo, quando ele raptou Ganimedes (ver p. 140). Na mitologia hindu, Garuda, o rei das aves e muitas vezes montaria de Vishnu, tinha parte do corpo em formato de águia.

O topo da Árvore do Mundo nórdica, Yggdrasil, era o lar de uma águia que entendia o funcionamento do universo. Na mitologia celta, as águias são o segundo animal mais antigo (depois do salmão), e no texto galês *Mabinogion*, a sapiente águia ajuda o herói a encontrar a criança mágica Mabon.

PÁGINA ANTERIOR, ACIMA *Este adorno de cabeça nativo-americano representa o Pássaro-Trovão.*
PÁGINA ANTERIOR, ABAIXO *Vishnu montado no mítico Garuda.*
ACIMA *Um guerreiro-águia asteca. A águia era símbolo do Sol.*

Uma antiga taça grega retratando Zeus e seu emblema, a águia.

Este tambor cerimonial pawnee mostra o Pássaro-Trovão, criador de tempestades, lançando relâmpagos.

Corvos

||||||||||||||||||||||||||||||||||||||||||||||||||

Os corvos mais famosos da mitologia são provavelmente Hugin e Munin, que pousavam nos ombros de Odin. Os dois pássaros atuavam como seus mensageiros, trazendo-lhe informações do mundo inteiro. Na mitologia celta, eles estavam associados à guerra.

Os corvos também exerceram o papel de mensageiros celestiais na Bíblia. No Antigo Testamento, Deus enviou um corvo para alimentar o profeta Elias. E, de acordo com o Corão, Deus mandou que um corvo cavasse o túmulo de Abel, depois que ele foi morto por seu irmão, Caim. O Talmude afirma que o corvo foi uma das três espécies que copularam enquanto na Arca de Noé. Quando o Dilúvio acabou, Noé libertou um corvo e

uma pomba. O corvo se perdeu, enquanto a pomba retornou com um ramo de oliveira em seu bico.

Na mitologia nativo-americana, o Corvo é a figura do malandro, parecido com o Coiote (ver p. 70). Segundo algumas lendas, ele criou o mundo e seus excrementos tornaram-se as montanhas. Ele também sentia um prazer lascivo em ensinar à humanidade como procriar.

ACIMA *O profeta Elias, do Antigo Testamento, sendo alimentado por um corvo enquanto se escondia no deserto.*
PRÓXIMA PÁGINA *Os dois corvos de Odin – Hugin e Munin – pousam em seus ombros e lhe dão conselhos. Detalhe do olho ausente do deus.*

VP̄ RĀ ET Q.VIN DECĪ CVBITIS ALCIOR F̄

S̄V̄P T̄RE ĒT OIS C̄R OS VP̄ R̄Ā EM̄ISNOECO̅

B̄Ā

TELLEXNOE XCESSASE̅T Q̄ DILVVII:

VINNVBIB: ·ETERITSIGNV̄FE DE

TROSITVIE

PÁGINA ANTERIOR *Após o Dilúvio, Noé soltou dois pássaros. O primeiro, um corvo, banqueteou-se nos despojos, enquanto a pomba retornou com um ramo de oliveira.*
NO TOPO *O chocalho de um xamã nativo-americano mostra um corvo carregando a Lua em seu bico.* ACIMA *Esta curiosa escultura xamânica da Groenlândia é parte corvo, parte cadáver de uma criança.*

Pavões

O pavão está vinculado à esposa de Zeus, Hera, e é frequentemente mostrado puxando sua carruagem (um tema popular na Renascença). O pássaro também obteve sua cauda característica de Hera: seu filho Argos Panoptes, o gigante de cem olhos, foi decapitado por Apolo, mas Hera colocou os olhos dele na cauda do pavão.

Na tradição cristã, o pavão era associado à Virgem Maria, como símbolo de pureza. Os pavões também são usados como montaria por várias divindades hindus, incluindo a deusa Sarasvati. Os pavões representariam o orgulho, embora, em outros contextos, eles possam simbolizar a imortalidade.

ACIMA *Argos Panoptes, o gigante de cem olhos, foi incumbido da guarda de Io. Foi morto por Hermes, e então Hera colocou os olhos do monstro na cauda do pavão.*
PRÓXIMA PÁGINA *Ilustração moçárabe de um pavão, em uma Bíblia do século X.*

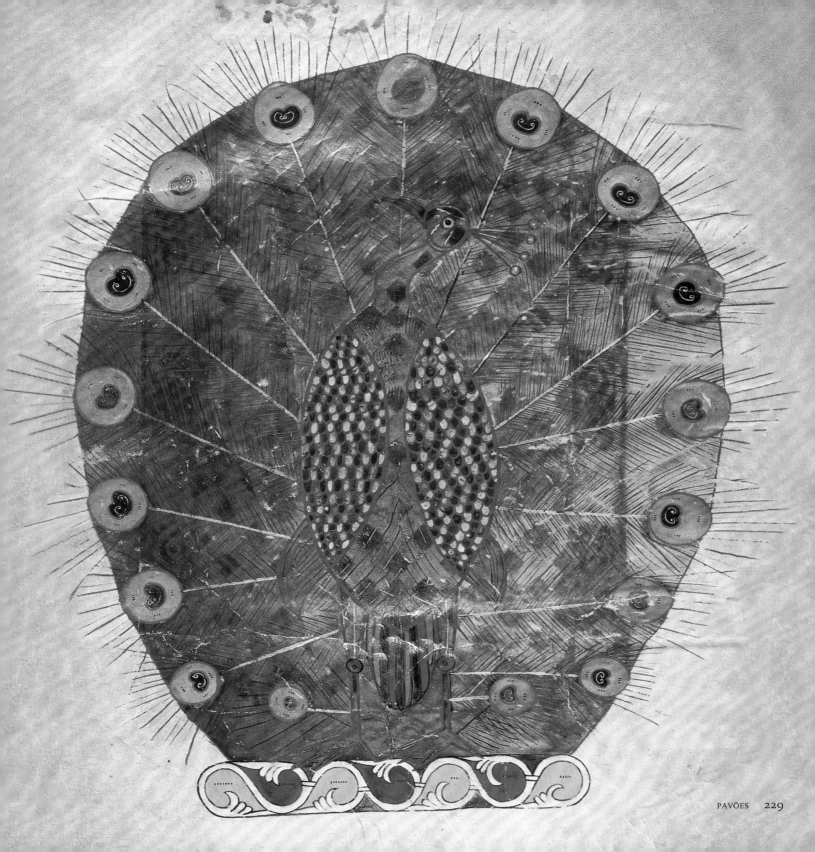

ACIMA *Cena de uma fábula de Jean de La Fontaine, em que o pavão reclama de sua voz estridente a uma estátua da deusa Hera – com quem o pássaro era intimamente associado.*
PRÓXIMA PÁGINA *Sarasvati, a deusa hindu do rio, é normalmente retratada com seu pavão.*

Serpentes

As cobras são um dos adversários mais antigos da espécie humana. Alguns estudiosos sugeriram que, no mito, elas representam símbolos fálicos, enquanto outros as têm associado a mães da terra (uma vez que vivem no solo).

A serpente mais infame da tradição judaico-cristã é aquela que aparece no Jardim do Éden. Deus a castiga, forçando-a a rastejar sobre o ventre – o que sugere que ela, originalmente, tinha pernas. Mais tarde, Moisés criou uma serpente de bronze que milagrosamente curava as picadas do réptil.

Em outras mitologias, as cobras podem assumir proporções gigantescas: Apolo combateu a poderosa Píton (uma espécie de dragão, embora geralmente retratado como uma serpente), enquanto o deus nórdico Thor lutou contra a maior de todas as cobras, a Serpente de Midgard. Essa criatura, também conhecida como a Serpente do Mundo, enrolava-se ao redor de todo o globo.

Contudo, nem todas as cobras são malignas. Quetzalcóatl, um dos mais importantes heróis culturais mesoamericanos, é frequentemente descrito como uma "serpente emplumada"; na mitologia hindu, Shesha, a cobra gigante de múltiplas cabeças (também chamada de Ananta, "sem fim"), acolhe Vishnu enquanto ele dorme entre os períodos de criação. As serpentes Nagas são inimigos jurados de Garuda, a montaria de Vishnu.

ACIMA *Imagem da serpente egípcia Sata, do Livro dos Mortos.*
À DIREITA *Garuda, a águia da sabedoria e inimigo dos Nagas (serpentes).*
PRÓXIMA PÁGINA *O lendário rei Gunnar (Gunther) jogado em um ninho de cobras. Entalhe escandinavo do século IX.*

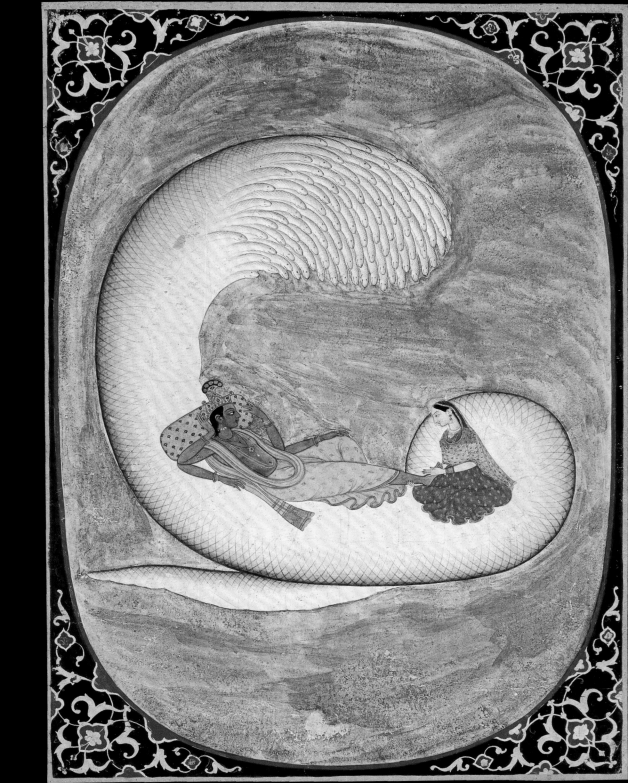

PÁGINA ANTERIOR *Shesha, serpente de múltiplas cabeças, teria sido o mais devotado seguidor de Vishnu.*
À DIREITA *O castigo de Deus para a serpente que tentou Eva: rastejar sobre o próprio ventre e comer poeira.*

235

Cabras

|||||||||||||||||||||||||||||||||||||||||||||||

As cabras são uma das mais antigas espécies domesticadas, fato que pode explicar sua proeminência no mito europeu. O menino Zeus, por exemplo – escondido de seu pai em uma caverna no monte Ida, em Creta – foi criado pela cabra Amalteia. Ela mais tarde presenteou o deus com um de seus chifres, repleto de flores e frutas (uma cornucópia, ou "corno da abundância"). O deus grego Pã possuía pernas de cabra, e a mítica e feroz Quimera teria o abdome desse animal – juntamente com partes de um leão e de um dragão.

A carruagem do deus nórdico Thor era puxada pelas cabras Tanngrisnir e Tanngnjóstr, que ele matava e cozinhava toda noite, mas na manhã seguinte elas eram milagrosamente revividas. Quando Thor dividiu sua refeição com alguns camponeses, um deles quebrou um osso para comer o tutano – e no dia seguinte a cabra havia ficado manca.

ABAIXO *Thor descobre que uma de suas cabras está manca.*
PRÓXIMA PÁGINA *Neste turbulento bacanal, a cabra – símbolo de Pã – faz uma aparição.*

Cavalos

Desde cerca de 4000 a.C., quando os cavalos foram domesticados, eles têm sido um meio inestimável de transporte. O cavalo de Odin, Sleipnir, tinha oito pernas, o que o tornava rápido e seguro (de vez em quando, ele cavalgava até mesmo ao mundo inferior). Filho de Loki, ele foi gerado quando o deus encrenqueiro estava disfarçado de égua.

Os centauros gregos eram metade humanos, metade cavalos, enquanto o cavalo alado Pégaso surgiu do pescoço monstruoso da Medusa depois que Perseu a decapitou. O herói Belerofonte mais tarde montou Pégaso para matar a Quimera.

Talvez o mais famoso cavalo mitológico não fosse absolutamente real. Após anos de cerco a Troia, os gregos fingiram ir embora, deixando uma enorme oferenda na forma de um cavalo de madeira. Os troianos aceitaram o presente, mas foram surpreendidos ao encontrá-lo cheio de soldados gregos.

ACIMA *O herói Belerofonte, montado no cavalo alado Pégaso, combate a Quimera.*
PRÓXIMA PÁGINA *Durante o oitavo trabalho, Héracles alimentou os cavalos carnívoros de Diomedes da Trácia com seu próprio dono.*

ACIMA, À ESQUERDA *Neste afresco, o centauro Quíron aparece em primeiro plano. No centro, podem ser vistos o monte Hélicon e a fonte Hipocrene criada por Pégaso.*

À ESQUERDA *Um típico dragão europeu cuspidor de fogo.*

ACIMA *Representação primitiva de um centauro grego, com genitais proeminentes e postura ameaçadora.*

PRÓXIMA PÁGINA *O terrível demônio egípcio Ammit, combinação de hipopótamo, leão e crocodilo, que devorava as almas dos mortos infames.*

Metamorfose

No século I, o poeta romano Ovídio reuniu um compêndio de histórias clássicas envolvendo metamorfose. O universo que ele descreve é instável e nada é o que parece: Aracne, a mulher que desafia Minerva em uma competição de tecelagem, é transformada em uma aranha; Alcíone e seu marido são transformados no pássaro martim-pescador; e Atalanta é transformada em um leão.

A metamorfose também aparece na tradição hindu. Uma história conta de um rei demônio, Hiranyakashipu, que, como resultado de sua devoção, havia obtido a imortalidade: não podia ser morto por nenhum homem ou besta. A solução de Vishnu para o problema foi simples: ele se transformou no avatar Narasimha – metade homem, metade leão – e dessa maneira derrotou o rei.

ACIMA *Enquanto Minerva observa, Aracne trabalha em seu tear, sem saber de sua iminente metamorfose.*
À DIREITA *Shiva substituiu a cabeça de seu filho Ganesha por outra, de elefante.*
PRÓXIMA PÁGINA *Hiranyakashipu, invencível para qualquer homem ou animal, é devorado pelo híbrido Narasimha.*

ACIMA E NA PRÓXIMA PÁGINA
A punição de Actéon por ver o banho de Ártemis foi ser transformado em cervo – e morto por seus próprios cães.

À ESQUERDA *Os companheiros de Ulisses foram transformados em animais pela feiticeira Circe.*

6

SUBSTÂNCIAS
||||||||||||||||||||||||||||||||||||||||||||||||||||||
SIMBÓLICAS
||||||||||||||||||||||||||||||||||||||||||||||||||||||

Certas substâncias estão carregadas de significado na mitologia. É o caso dos materiais da vida diária, como barro, sangue, leite e fogo. Outros são menos comuns, mas universais e altamente valorizados. Um bom exemplo seria o ouro, que a maioria das culturas aprecia há muito tempo. Assim, os gregos antigos falavam da Idade de Ouro (quando a vida era boa); o rei Midas queria transformar tudo o que tocasse em ouro; e os conquistadores espanhóis da América do Sul eram impulsionados pelo desejo de encontrar a mítica Cidade do Ouro, que, dizia-se, era governada por um chefe chamado El Dorado – o "Dourado".

O sangue é a substância mais intimamente ligada à vida, e seu significado é claro: a força da vida. Os astecas consideravam o sacrifício de sangue necessário para satisfazer os deuses, e o sangue assume um simbolismo rico no cristianismo. Na ceia da noite anterior à sua crucificação, Cristo teria dito sobre o vinho: "Este é o meu sangue". Essa declaração é lembrada ainda hoje na missa. Da mesma forma, o Êxodo descreve a Terra Prometida como "a que emana leite e mel" – uma visão que deve ter encantado os israelitas enquanto lutavam pela sobrevivência no deserto, ainda que Deus enviasse o milagroso maná para sustentá-los.

Muitas substâncias com significado especial são surpreendentemente simples. O barro, por exemplo, aparece em diversos mitos da criação. A tradição islâmica afirma que o homem é feito de barro; e, no Antigo Testamento, o resignado Jó confirma: "Eu também fui formado do barro". A mitologia judaica traz contos de Golem, uma criatura vingadora feita de barro e animada por um encantamento. No mito aborígine, os humanos são extraídos do barro ou da lama.

Além do ouro, havia outros metais importantes. O ferro aparece frequentemente na mitologia aborígine – especificamente na forma de ocre vermelho, que é considerado *maban*, ou mágico. O ocre era apreciado pelos antigos povos San da África do Sul, que parecem ter-lhe atribuído propriedades vivificantes. O épico que relata as viagens de Jasão inclui a história de Talo, um gigante de bronze que atacou a nau do herói em Creta. No Antigo Testamento, Moisés cria a serpente de bronze como um objeto sagrado. Mitologias rabínicas posteriores se referiam ao deus de bronze Moloch, em cujo corpo crianças eram queimadas em sacrifício. Vários

PÁGINAS 252 E 253 *O Oceano de Leite é agitado para produzir o elixir da imortalidade.*
PÁGINA ANTERIOR *Moisés desce do monte Sinai para encontrar os israelitas adorando um bezerro de ouro.*
ACIMA *O ouro tinha um significado sagrado para os mesoamericanos. Aqui ele é usado na recriação de um brilhante disco solar.*

metais conhecidos hoje receberam seus nomes de personagens mitológicos, incluindo plutônio, urânio e mercúrio.

A substância mais rígida da mitologia é o adamantino, um termo que parece abranger uma série de materiais altamente resistentes, de pedras preciosas a metais. Na lenda grega, Cronos castrou seu pai, Urano, com uma foice adamantina, e Perseu decapitou Medusa usando uma lâmina adamantina.

Prometeu e Loki teriam sido aprisionados com correntes adamantinas.

Muitas substâncias mitológicas estão associadas à imortalidade. Os alquimistas, durante séculos, buscaram a Pedra Filosofal, que, além de transformar metais comuns em ouro, forneceria o elixir da vida. Na mitologia hindu, a bebida chamada *soma* cumpre o mesmo papel, ao passo que na mitologia grega os deuses sustinham-se com ambrosia.

O início da vida – de acordo com os relatos nórdicos das origens do universo – dependia de dois elementos fundamentais: o gelo (encontrado no mundo primordial e congelado de Niflheim) e o fogo (do ardente reino de Muspelheim, no mundo oposto ao primeiro), que eram separados por um imenso vazio chamado Ginnungagap. Em Niflheim havia um poço, ou fonte, no fundo do qual viviam inúmeras serpentes se contorcendo. Elas produziram um veneno que subiu à superfície e combinou-se ao gelo; assim que a mistura caiu no vazio, foi vaporizada pelas chamas de Muspelheim. O resultado foi uma estranha substância mágica chamada *eitr*. Essa era a essência da vida, e dela foi criado o primeiro gigante, Imer. Conforme Imer dormia, o suor de suas axilas transformou-se em outros gigantes. Ele e seus descendentes foram amamentados pela vaca Audumbla, também nascida do *eitr*.

À ESQUERDA *O mel era frequentemente considerado o alimento dos deuses.*
PRÓXIMA PÁGINA *A deusa asteca Mayahuel sentada a um pé de agave. A planta era usada para produzir o inebriante pulque.*

los q̃ nacian aqui aviã de ʃ borrachos

Ouro

Para os antigos egípcios, o ouro era especialmente apreciado por causa de sua associação com Rá, o deus Sol. Na América do Sul, o lendário chefe inca El Dorado teria um jardim onde todos os animais e plantas eram feitos de ouro.

Na lenda grega, o herói Jasão recebe a missão de encontrar e trazer de volta o Velocino de Ouro – ou seja, a pele de um carneiro dourado, que era mantido em um bosque sagrado e vigiado por um dragão. Jasão matou o monstro e voltou com a pele do carneiro. Desde então, o Velocino de Ouro tem sido interpretado como símbolo de autoridade real, uma espécie de mineração do ouro, ou mesmo a riqueza que existia nos limites orientais do mundo grego.

Talvez o mais famoso mito relacionado ao ouro seja o de Midas. Por ter cuidado de Sileno (que ficou bêbado e se perdeu),

Baco concedeu-lhe um desejo: Midas pediu o poder de transformar tudo o que tocasse em ouro. O novo dom inicialmente o agradou, mas quando sua comida e bebida também foram convertidas no metal, ele começou a se arrepender. Rezando para que Baco removesse o que ele agora via como uma maldição, Midas recebeu instruções de se banhar nas águas do Pactolo – uma explicação para a grande quantidade de ouro encontrada no rio.

ACIMA *Jasão recupera o Velocino de Ouro em um bosque consagrado ao deus Ares.*
PRÓXIMA PÁGINA *Dânae e sua criada ficam maravilhadas com a ocorrência de uma misteriosa chuva de ouro (Zeus disfarçado).*

PÁGINA ANTERIOR *O rei dos incas aos olhos dos europeus: El Dorado,
"O Dourado", com o ouro sendo aplicado sobre seu corpo.*
ACIMA *Midas começa a perceber que nem tudo precisa ser feito de
ouro.*

Leite

Na mitologia hindu, o vasto Oceano de Leite produz o elixir vivificante *amrita*. É também onde Vishnu flutua, adormecido no dorso de Shesha. O *ghee*, feito com leite de vaca, é vital para o ritual hindu.

A deusa egípcia Hator frequentemente aparece disfarçada como Hesat, uma vaca leiteira cujo nome significa "leite". Ela amamentava os outros deuses.

A Via Láctea, para os gregos, formou-se do leite do peito de Hera. Zeus, afeiçoado a Héracles e lamentando que a mãe de seu filho era mortal, decidiu fazer sua esposa amamentar a criança enquanto dormia. Quando ela acordou e percebeu o que estava acontecendo, afastou a criança de seu peito, e o leite pulverizou o céu.

PÁGINA ANTERIOR *O leite do peito de Hera borrifa o céu, formando a Via Láctea.*
ABAIXO *A estátua da Virgem Maria amamentando seu filho, exemplar da temática da lactação virginal, a* Virgo Lactans.
À DIREITA *A deusa Hator amamentando.*

Sangue

O sangue é dotado de significado especial em muitas mitologias. Os astecas acreditavam que um suprimento constante de sangue era necessário para a sobrevivência dos deuses, especialmente o deus Sol Tonatiuh. Sacrifícios de sangue também podem ser encontrados na mitologia e nos rituais nórdicos.

No cristianismo, de modo semelhante, o sangue está vinculado a um tipo de sacrifício – aquele representado pela crucificação de Jesus. Especialmente na arte da Idade Média, seu sangue era mostrado sendo apanhado em um cálice para ressaltar a conexão com a missa.

As propriedades vivificadoras do sangue aparecem novamente na mitologia hindu. Quando Durga feriu o demônio Raktavija, ficou desconcertada ao ver que cada gota do sangue derramado gerou um clone de seu inimigo. Sua solução para o problema foi macabra: a deusa Kali andou pelo campo de batalha lambendo cada gota, antes de sugar todo o sangue de Raktavija.

No mito grego, o sangue dos deuses era conhecido como *icor*, que teria cor dourada. Era altamente venenoso para os seres humanos. O herói Siegfried (ver p. 308), no entanto, tornou-se invencível ao banhar-se no sangue de um dragão.

PÁGINA ANTERIOR, ACIMA
Um sacrifício de sangue é oferecido a uma divindade asteca.

PÁGINA ANTERIOR, ABAIXO
Medeia drena o sangue de Jasão a fim de o rejuvenescer.
À DIREITA *Diagrama tibetano indicando épocas boas e más para a sangria e quando se precaver contra os demônios.*

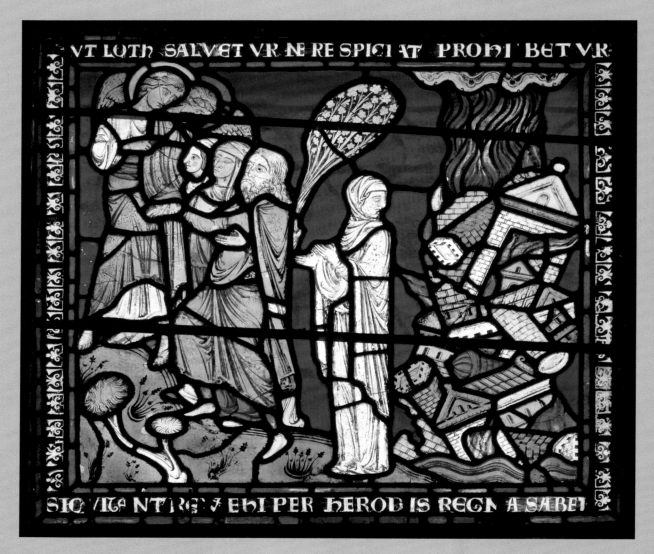

Sal

|||||||||||||||||||

O sal é necessário para a vida, mas na mitologia nórdica ele é a própria essência da vida, uma vez que a vaca Audumbla moldou um dos primeiros seres lambendo um bloco de sal.

De acordo com o Gênesis, do Antigo Testamento, Ló e sua esposa abandonaram a cidade de Sodoma antes da destruição. Como Orfeu, foram orientados a não olhar para trás. A mulher de Ló, no entanto, virou-se para dar uma olhadela e foi transformada em uma estátua de sal.

A deusa asteca do sal é Huixtocihuatl, irmã de Tlaloc. Os romanos adoravam a deusa da água salgada, Salácia. O sal aparece frequentemente como uma oferenda aos deuses em diversas mitologias.

Um mito, contado no antigo poema nórdico *Grottasöngr*, envolvia duas gigantas chamadas Menia e Fenia. O rei do mar as obrigou a se transformar em uma pedra de moinho e moer sal, mas a engenhoca inteira caiu no mar, deixando a água salgada.

ACIMA *A esposa de Ló vira-se para a cidade de Sodoma – e é transformada em uma estátua de sal.*
PRÓXIMA PÁGINA *As gigantas Menia e Fenia são forçadas a moer sal.*

Álcool

Após desembarcar da Arca, Noé plantou uma vinha, produziu vinho e começou a se embebedar. Um de seus filhos, Cam, viu o pai nu e embriagado; em consequência, foi amaldiçoado. Um episódio posterior do Antigo Testamento descreve como as filhas de Ló embebedaram o pai a fim de ter filhos com ele.

Na cultura asteca, a bebida alcoólica chamada pulque exercia um papel importante. Produzido do agave, suas origens eram supostamente divinas: foi enviado por Quetzalcóatl para incentivar os humanos a dançar e cantar. O pulque também era servido àqueles prestes a serem sacrificados.

Na mitologia grega, o embaixador do álcool era Dioniso (conhecido pelos romanos como Baco), deus do vinho e da apreciação irrestrita do álcool. Seu amigo, o idoso Sileno,

representava os malefícios da bebida e era com frequência retratado bêbado ou dormindo.

Na mitologia hindu, o criador do álcool é a asura Varuni, a consorte de Varuna. Para os antigos egípcios, Sekhmet, a deusa com cabeça de leão, fora enviada pelos deuses para devorar a humanidade. Ela interrompeu o massacre quando um enorme tonel de cerveja foi tingido de vermelho. Sekhmet o bebeu, pensando tratar-se de sangue, e ficou tão embriagada que a carnificina cessou.

PÁGINA ANTERIOR *Sileno, terrivelmente embriagado, envolto em ramos de videira e carregando uvas.*
ABAIXO *Ulisses e seus companheiros cegam o ciclope Polifemo, depois de lhe servir grandes quantidades de vinho forte.*

269

Maçãs

As maçãs aparecem frequentemente nos mitos e estão quase sempre associadas à vida ou ao conhecimento. Na Bíblia, a famosa história relata que Eva persuadiu Adão a comer o fruto proibido da Árvore do Conhecimento; esse fruto é tradicionalmente descrito como a maçã, embora a Bíblia não seja tão específica.

Na lenda grega de Atalanta, que estava determinada a não ter marido, a selvagem princesa acabou prometendo casar-se com o pretendente que a vencesse em uma corrida. Como era particularmente rápida, Atalanta não se sentia em perigo. Mas, quando Hipômenes aceitou o desafio, Afrodite deu a ele três maçãs douradas para distraí-la. Ele as deixava cair de vez em

quando e Atalanta não conseguia deixar de parar para apanhá-las, perdendo, assim, a corrida.

O mito conhecido como Julgamento de Páris também envolve uma maçã de ouro jogada por Éris (Discórdia) junto das deusas Afrodite, Hera e Atena, a fim de provocar uma discussão. Na mitologia nórdica, as maçãs douradas garantem a vida eterna e são a fonte dos poderes dos deuses.

ABAIXO *No Gênesis, uma maçã ditou a queda da humanidade.*
PRÓXIMA PÁGINA *As três deusas abordam o adormecido Páris para solicitar seu julgamento; Mercúrio segura a maçã de ouro que motivou a rivalidade entre ambos.*

mercure

venus Juno pallas

Paris

Comment paris expofa au
Roy priam fon fonge Et

la vifion et promeffe de
la deeffe venue cõ

Dont me vint en
auifion que pre
fent moy eftoit

a mige pour en determiner
felon ce que tu verras leur
droit eftre apparant par

THE TREE OF DEATH.

But a corrupt tree bringeth forth evil fruit. St.Mat.VII.17.   Cut it down, why cumbereth it the ground ? St.Luke XII.7

PÁGINA ANTERIOR *Na tradição cristã, a maçã simboliza o pecado original e, portanto, a morte. Este diagrama amplia a metáfora, atribuindo a cada maçã uma transgressão literal.* ACIMA *Atalanta se detém para apanhar as maçãs de ouro e, assim, perde a corrida para Hipômenes.*

Mel

|||||||||||||||||||||||||||

Para os gregos antigos, o mel estava intimamente ligado aos deuses e ao conhecimento simbólico. Dizia-se que o herói Aquiles foi alimentado com mel quando criança, o que lhe conferiu grande eloquência.

O Antigo Testamento está repleto de referências ao mel, sugerindo doçura e tranquilidade, e um dos capítulos do Corão, intitulado "A abelha", descreve-o como uma "cura para os homens". No hinduísmo, o mel é usado na adoração ou como sacrifício. Há também um conto relatando que, quando Buda recolhia-se em retiro, um macaco levava mel para alimentá-lo.

Os maias, da mesma maneira, acreditavam que o mel era um alimento divino. Cultuavam um deus, Ah-Muzen-Cab, especialmente dedicado à apicultura e ao mel.

ABAIXO *Baco (em primeiro plano, à direita) descobre o mel – um passo adiante no longo caminho para a civilização.*
PRÓXIMA PÁGINA *Cupido percebe que, para obter o doce mel, é preciso suportar as picadas de abelhas – um pouco semelhante à experiência de estar apaixonado.*

7

HERÓIS
||||||||||||||||||||||

A figura do herói ou da heroína é essencial a todas as mitologias. Às vezes humanos, às vezes divinos, eles combatem monstros e se envolvem em arriscadas aventuras. O conflito e o perigo são vitais para a história e a maioria dos heróis chega mais sábio ao fim de suas aventuras. De acordo com os antigos gregos, a Idade Heroica foi a quarta etapa da existência humana, após as Idades do Ouro, Prata e Bronze. Esses personagens poderosos serviam para subjugar todos os elementos do caos remanescentes de uma época anterior; um exemplo clássico desse embate de sistemas é o poema épico anglo-saxão *Beowulf*, em que o herói luta incansavelmente contra o monstro maligno Grendel, a mãe de Grendel e um dragão.

Isso não significa dizer que todos os heróis sejam como Beowulf, Héracles ou Thor, empunhando espadas, clavas e machados e envolvidos em constantes batalhas. Muitas figuras importantes, como Jesus Cristo e Buda, são heróis na medida em que desafiam o pensamento ortodoxo e superam as tentações. Outros heróis libertam seu povo não de monstros, mas de uma vida de agruras – como fez Moisés.

O estudioso Joseph Campbell identificou os principais elementos da jornada do herói, que classificou como "partida" (chamado da aventura; ajuda sobrenatural; travessia do primeiro limiar), "iniciação" (estrada de provações, a mulher como tentação; sintonia com o pai) e "retorno" (fuga mágica; resgate de fora; travessia do limiar de retorno; mestre de dois mundos). Esse padrão, alegou Campbell, pode ser encontrado na vida de Jesus Cristo, Buda e Moisés, entre outros personagens importantes.

Histórias de heróis podem parecer estereotipadas. Eles têm, por exemplo, nascimentos incomuns, ou um dos pais é divino: Héracles era filho de Zeus e Jesus nasceu de uma virgem. Gilgamesh foi descrito como sendo dois terços divino, já que sua mãe era uma deusa e seu pai, semimortal. Wainamoinen, protagonista da saga finlandesa Kalevala, era originalmente um deus, mas seu papel mudou ao longo dos anos para o de herói.

Muitas vezes, os heróis enfrentam seu primeiro perigo ainda muito jovens. Moisés foi abandonado no Nilo para escapar ao massacre de meninos ordenado pelo Faraó; Jesus Cristo fugiu para o Egito para não ser assassinado por Herodes; e Héracles foi ameaçado por duas serpentes que Hera enviou para matá-lo (ele as estrangulou). O herói persa Rostam, ainda menino, matou um enfurecido elefante branco. Gilgamesh – segundo versões posteriores da história – foi jogado de uma torre quando bebê, mas um agricultor o salvou e o criou. Siegfried foi encontrado e criado por um ferreiro. No caso de Teseu, o pai ausente deixou sua espada e sandálias debaixo de uma pedra; Teseu estaria pronto para iniciar sua jornada somente quando fosse forte o suficiente para levantar a pedra.

PÁGINAS 276 E 277 *O herói persa Rostam mata o Demônio Branco – o último de seus sete trabalhos.*
PÁGINA ANTERIOR *O heroico Cadmo mata o dragão com sua lança.*
ACIMA, À ESQUERDA *Héracles perseguindo Geras (Velhice).*
ACIMA *O herói japonês Kintaro, criado por uma bruxa da montanha.*

As figuras heroicas também são precoces. Cristo discutia religião com os anciãos no templo aos 12 anos de idade. Aquiles teve como mestre o sábio centauro Quíron, assim como Jasão, Ájax e talvez até mesmo Héracles. Héracles aparentemente não se destacou na música, uma vez que matou seu tutor, Lino, depois de ser repreendido por seus erros.

A força de Héracles é outra marca registrada dos heróis, muitas vezes solicitados a demonstrar o que os diferenciava dos mortais. Rama envergou o poderoso arco de Shiva e o jovem Artur removeu a espada presa na pedra. Rostam executou sete tarefas impossíveis; Héracles, por outro lado, foi originalmente obrigado a realizar dez trabalhos, mas teria concluído dois deles com auxílio. Assim, no final, precisou completar doze. Algumas vezes, a força do herói é mental, como no caso de Jesus, quando chamado a se sacrificar.

Alguns heróis possuíam cúmplices. Gilgamesh, por exemplo, era acompanhado do estranho, rude e selvagem Enkidu, que se tornou como um irmão para ele. Héracles foi auxiliado por seu sobrinho Iolau, especialmente na derrota da Hidra (enquanto Héracles cortava as cabeças, Iolau cauterizava os pescoços).

Os heróis eram acessíveis de um jeito que os deuses não eram. Para os gregos, Héracles e Perseu inquestionavelmente existiram, e até mesmo Alexandre, o Grande, alegou descender do lendário Aquiles. Moisés, igualmente, foi uma figura histórica real para as gerações posteriores de judeus, cristãos e muçulmanos. Alguns acreditam que o rei Artur foi um dos primeiros defensores das Ilhas Britânicas contra os invasores saxões. Gilgamesh, um rei legítimo da cidade suméria de Uruk, no terceiro milênio a.C., é lembrado na mitologia mesopotâmica como um semideus, responsável pela construção dos muros impenetráveis da cidade. Da mesma forma, Teseu é associado à fundação de Atenas.

Os heróis nem sempre agem honradamente. Rama tratou sua esposa com uma desconfiança indevida (e veio a se arrepender); Teseu abandonou Ariadne em uma ilha; Héracles matou sua esposa e filhos em um acesso de loucura; e Jasão abandonou Medeia por causa de uma princesa. O triste fim de Jasão — morto por um pedaço do Argo que caiu sobre ele enquanto dormia sob a popa da embarcação — revela que, no final, os heróis estavam frequentemente sujeitos aos mesmos infortúnios que se abatem sobre os humanos.

PÁGINA ANTERIOR
Ilustração etíope de são Jorge matando o dragão que havia aterrorizado uma cidade.
ACIMA *Aquiles aprendeu a manejar o arco e a flecha com Quíron, o centauro sábio.*

Nascimentos milagrosos

Muitos heróis possuem filiação divina. Teseu foi supostamente gerado por Poseidon e Egeu (ambos dormiram com sua mãe ao longo da mesma noite), e o pai de Héracles era Zeus. Outras concepções importantes foram anunciadas por presságios. Quando Buda foi concebido, sua mãe sonhou com um elefante branco; e seu nascimento embaixo de uma árvore prenunciou sua posterior meditação sob a figueira sagrada.

O deus persa Mitra era pretensamente nascido de uma rocha, e o equivalente persa de Héracles, Rostam, nasceu de cesariana, pois não parava de crescer no ventre da mãe.

A concepção de Jesus foi anunciada pelo arcanjo Gabriel, que apareceu para Maria, e assim mesmo o nascimento do salvador do mundo foi extremamente humilde, ocorrendo em um estábulo. Seu pai terreno, José, era descendente do rei Davi, o que estabelece o vínculo com uma figura heroica mais antiga.

À ESQUERDA *O deus persa Mitra – cultuado durante todo o império romano – teria nascido de uma rocha.*
ACIMA *Segundo algumas versões do mito, Poseidon gerou Teseu.*
PRÓXIMA PÁGINA *Apesar de ser o filho de Deus, Jesus nasceu em um estábulo.*
PÁGINA 284 *A mãe de Buda, uma rainha, dá à luz debaixo de uma árvore shala.*
PÁGINA 285 *Rostam nasceu de cesariana – um acontecimento muito incomum que o distinguia dos outros mortais.*

Inimigos monstruosos

Os monstros são fundamentais para os contos heroicos, representando as forças do caos que o herói precisa vencer a fim de restaurar a lei e a ordem. Que eles representem o caos é evidente por sua aparência física, uma vez que quase todos são combinações de outras criaturas.

Os mais impressionantes são, talvez, os dragões. Jasão, Perseu, Thor, Cadmo, são Jorge e Héracles foram todos obrigados a combater dragões ou criaturas semelhantes, tanto para completar suas missões como para livrar o mundo do mal. Outros tiveram inimigos mais peculiares: Teseu lutou contra o Minotauro, enquanto Gilgamesh enfrentou os homens--escorpiões. Outro adversário de Gilgamesh foi Humbaba, cujo rosto assemelhava-se ao de um leão, mas era feito de uma única linha tubular, como os intestinos.

Os demônios aparecem quase com a mesma frequência. Demônios japoneses – conhecidos como *onis* – patrulham o inferno com bastões de ferro, assim como seus equivalentes cristãos castigam os condenados. O Apocalipse bíblico prevê uma colossal batalha final entre o Diabo – na forma de uma besta monstruosa – e são Miguel. As deusas hindus Durga e Kali combatem demônios similares, como Mahishasura.

Monstros também podem representar o "outro", o desconhecido; e os maiores desconhecidos, mesmo hoje, são os mares. Ulisses teve de evitar Cila, de seis cabeças, que guardava a passagem através de um estreito, enquanto a Bíblia descreve talvez o maior monstro marinho de todos, o Leviatã.

PÁGINA ANTERIOR *(a partir do canto superior esquerdo, no sentido horário) Uma harpia, um gigante, um grifo e um fauno. No centro, a Quimera, fera mitológica que consiste em um leão com uma cabeça de cabra nas costas.*
ACIMA *Um dos seguidores de Cadmo é devorado por um dragão feroz.*

Perseu

IIIIIIIIIIIIIIIIIIIIIIIIIIIIIIIIIIIIIIIIIIIIIIIIIIIIIIIIIIIIIIIIIIIII

Perseu foi um dos primeiros heróis da Grécia antiga. Filho de Zeus e Dânae (ver p. 258), ele e sua mãe foram trancafiados em um baú e atirados ao mar pelo pai de Dânae, Acrísio, que tomara conhecimento de que o filho dela o mataria. Eles acabaram na ilha de Sérifos, onde Perseu foi criado pelo pescador Díctis.

Ele mais tarde receberia a tarefa de conseguir a cabeça de Medusa, a górgona com cabelos de serpente. A mais horrível das criaturas tinha um rosto que poderia transformar qualquer um em pedra. Com o auxílio de Atena e das Hespérides, Perseu obteve uma foice e um elmo de invisibilidade (de Poseidon); guiado pelo reflexo de seu escudo, ele conseguiu cortar a cabeça de Medusa.

Do sangue de Medusa surgiu o cavalo alado Pégaso, que ajudou Perseu em seu desafio seguinte: o resgate de Andrômeda, princesa dada pelo pai como oferenda a um monstro marinho. Perseu matou a besta (provavelmente usando a cabeça da górgona), depois resgatou Andrômeda e se casou com ela – dando a cabeça de Medusa a Atena, que a fixou em seu escudo. Perseu tornou-se rei de Micenas, fundando uma linhagem que chegou a Héracles.

À ESQUERDA E NA PRÓXIMA PÁGINA *Perseu segura a hedionda cabeça da górgona Medusa, que podia transformar em pedra aqueles que a encarassem.*

ABAIXO *Perseu salva Andrômeda do terrível monstro marinho.*
ABAIXO, À DIREITA *A mãe de Perseu, Dânae, é seduzida por Zeus, que assume a forma de uma chuva de ouro.*

Em algumas versões da história, Perseu monta no cavalo alado Pégaso para derrotar o monstro marinho.

Teseu

O pai de Teseu pode ter sido Egeu, rei de Atenas, ou Poseidon, disfarçado de Egeu. Ambos dormiram com a mãe do herói durante a noite em que ela o concebeu. Mas foi Egeu que deixou suas sandálias e espada escondidas sob uma pedra para que, quando o menino tivesse idade suficiente para levantá-la, pudesse sair e procurar seu pai.

No caminho para Atenas, Teseu encontrou vários assassinos e bandidos. Um deles, Procrusto, esticava ou cortava os viajantes para que coubessem em sua cama de ferro; Sínis rasgava pessoas ao meio usando pinheiros; e Círon fazia suas vítimas lavarem os pés antes de empurrá-las de um penhasco. Teseu os eliminou usando o método de cada um. Embora Egeu não houvesse identificado Teseu quando este chegou a Atenas, sua esposa Medeia o reconheceu e tentou envenená-lo.

A história mais famosa envolvendo Teseu é a do Minotauro. Todo ano, Atenas pagava a Creta um tributo de sete meninos e sete meninas, que serviam de alimento ao meio-humano, meio-touro Minotauro. Teseu ofereceu-se para ir com eles, mas em sua chegada a Creta, a filha do rei Minos, Ariadne, apaixonou-se pelo herói e lhe deu um novelo de lã para ajudá-lo a escapar do labirinto em que o Minotauro vivia. Teseu matou o monstro e, em seguida, fugiu com Ariadne. O conto termina em tragédia, no entanto: enquanto viajava para casa, Teseu, em seu entusiasmo, esqueceu-se de mudar a cor da vela de seu navio de preto para branco; Egeu, interpretando a cor negra como sinal da morte de seu filho, atirou-se ao mar que, a partir de então, passou a ser conhecido como mar Egeu.

ACIMA *As façanhas de Teseu em um cílice ático: no centro, o herói arrasta o Minotauro morto para fora do labirinto; ao longo da borda, Teseu enfrenta Sínis, a Porca de Crommyon, Cercião, Procrusto e Círon.*
PRÓXIMA PÁGINA *Teseu levanta a pedra para encontrar a espada e as sandálias de seu pai.*

Héracles

Héracles (conhecido pelos romanos como Hércules) é o herói arquetípico e um modelo para gerações de homens gregos e romanos. Filho de Zeus e Alcmena – portanto, semimortal – ele era dotado de força sobre-humana. Às vezes pacífico, também podia explodir em acessos de fúria, como quando matou seu professor de música, bem como sua primeira esposa e filhos.

Héracles é mais famoso por completar os doze trabalhos impossíveis, impostos a ele pelo rei Euristeu (provavelmente como penitência por ter assassinado sua família). Algumas tarefas envolviam matar ferozes criaturas sobrenaturais, incluindo o Leão de Nemeia, a Hidra de Lerna e as Aves, com bicos de bronze, do lago Estínfalo, além de trazer criaturas vivas, como aconteceu com a Corça de Cerineia, o Javali de Erimanto, o Touro de Creta e Cérbero, o guardião de Hades. Em outros trabalhos, Héracles precisava capturar animais (os Cavalos de Diomedes e o Gado de Gerião), limpar os imundos Estábulos de Aúgias, roubar o Cinturão de Hipólita e recolher as Maçãs das Hespérides.

Héracles concluiu algumas dessas tarefas utilizando força bruta, mas também usou de astúcia. Limpou os estábulos, por exemplo, desviando até eles o curso de um rio próximo. Convenceu Atlas a recolher as maçãs das Hespérides enquanto o semideus sustentava os céus.

As aventuras de Héracles não terminaram aí. Outros mitos relatam como ele se juntou aos Argonautas de Jasão, matou a águia que atormentava Prometeu e estrangulou o gigante Anteu.

A morte de Héracles veio de uma direção inesperada. Em um episódio anterior ele havia atingido o centauro Nesso com uma flecha embebida no sangue venenoso da Hidra. Enquanto morria, Nesso contou à esposa de Héracles que seu sangue poderia ser usado para garantir que o herói permanecesse fiel. Muito tempo depois, ela deu a Héracles uma camisa manchada com o sangue de Nesso, o que acabou por envená-lo. Com o restante de sua força, Héracles construiu sua própria pira funerária; quando sua porção mortal morreu, ele subiu ao Olimpo.

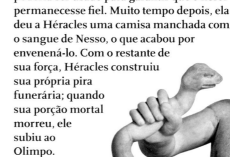

PÁGINA ANTERIOR *Héracles mata o abominável carnívoro Caco, filho de Hefesto.*
ACIMA, À DIREITA *O menino Héracles estrangula uma cobra.*
ABAIXO *Héracles e (da esquerda para a direita) o Leão da Nemeia, a Hidra de Lerna, o Javali de Erimanto, a Corça de Cerineia, as Aves do lago Estínfalo, o Cinturão de Hipólita, os Estábulos de Aúgias, o Touro de Creta e os Cavalos de Diomedes.*

À ESQUERDA *Héracles*
suporta o peso do
firmamento enquanto
Atlas rouba as maçãs das
Hespérides – que eram
suas filhas.
PRÓXIMA PÁGINA
Héracles mata a Hidra
de Lerna durante seu
segundo trabalho.

PÁGINA ANTERIOR *Héracles luta com o deus marinho Tritão, filho de Poseidon.*
ACIMA *Héracles e sua terceira esposa, Dejanira. No chão jaz morto o centauro Nesso, cuja artimanha levaria à morte do herói.*

Rei Artur

A historicidade da figura que conhecemos como rei Artur não está provada, embora alguns estudiosos acreditem que ele foi, provavelmente, um líder romano-britânico que defendeu as ilhas britânicas contra invasores saxões. A maioria dos contos clássicos da mitologia arturiana – *Camelot, Merlin, A Dama do Lago* e *O Santo Gral* – foi escrita somente no século XII.

De acordo com esses relatos, o pai de Artur era Uther Pendragon, que seduzira, disfarçado, a esposa de seu inimigo. Uther morreu sem herdeiros legítimos, mas Artur provou seu direito ao trono quando, sozinho, foi capaz de remover a espada da pedra em que estava cravada.

Em Camelot, seu castelo, o rei Artur reuniu cavaleiros excepcionais, como Gauvain e Lancelote. Eles se sentavam à famosa Távola Redonda, símbolo de sua igualdade em relação ao rei.

A batalha final de Artur foi contra Mordred, que se casara com sua esposa durante a ausência do rei. O embate aconteceu em um lugar chamado Camlann e causou a morte de ambos os combatentes.

ACIMA *Artur sendo coroado (à esquerda); e (à direita) o rei com um de seus cavaleiros.*
PRÓXIMA PÁGINA *Esta ilustração do século XV mostra Artur retornando à sua amada Camelot.*

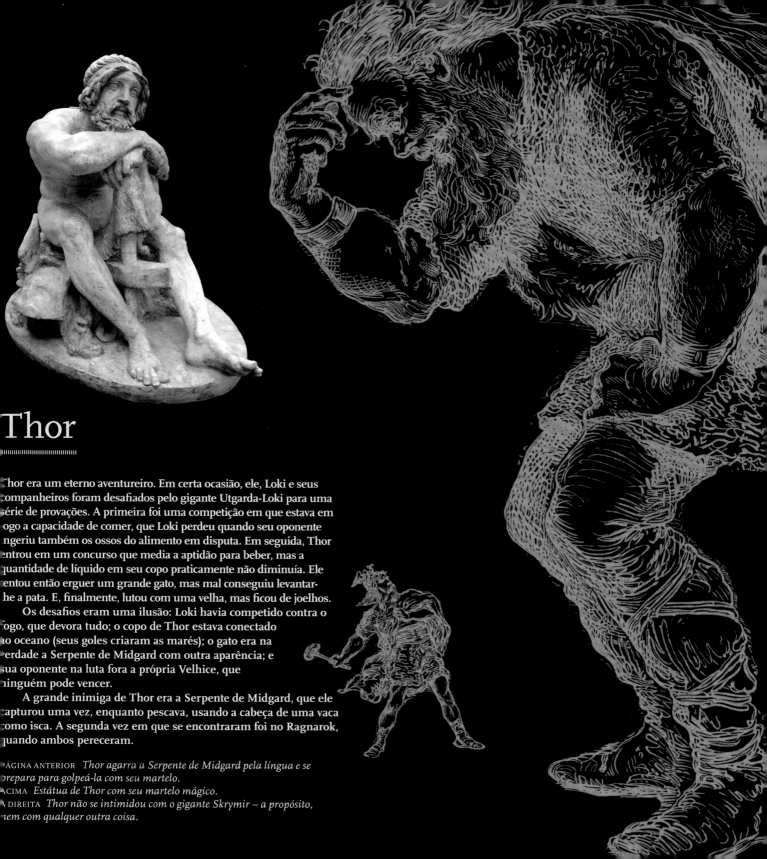

Thor

Thor era um eterno aventureiro. Em certa ocasião, ele, Loki e seus companheiros foram desafiados pelo gigante Utgarda-Loki para uma série de provações. A primeira foi uma competição em que estava em jogo a capacidade de comer, que Loki perdeu quando seu oponente ngeriu também os ossos do alimento em disputa. Em seguida, Thor entrou em um concurso que media a aptidão para beber, mas a quantidade de líquido em seu copo praticamente não diminuía. Ele tentou então erguer um grande gato, mas mal conseguiu levantar-he a pata. E, finalmente, lutou com uma velha, mas ficou de joelhos.

Os desafios eram uma ilusão: Loki havia competido contra o fogo, que devora tudo; o copo de Thor estava conectado ao oceano (seus goles criaram as marés); o gato era na verdade a Serpente de Midgard com outra aparência; e sua oponente na luta fora a própria Velhice, que ninguém pode vencer.

A grande inimiga de Thor era a Serpente de Midgard, que ele capturou uma vez, enquanto pescava, usando a cabeça de uma vaca como isca. A segunda vez em que se encontraram foi no Ragnarok, quando ambos pereceram.

PÁGINA ANTERIOR *Thor agarra a Serpente de Midgard pela língua e se prepara para golpeá-la com seu martelo.*
ACIMA *Estátua de Thor com seu martelo mágico.*
À DIREITA *Thor não se intimidou com o gigante Skrymir – a propósito, nem com qualquer outra coisa.*

Gilgamesh

Gilgamesh protagoniza a epopeia mais antiga do mundo, datada de mais de 3.500 anos atrás. Ele é retratado como originário da cidade de Uruk e foi provavelmente baseado em um rei autêntico.

Conforme o épico relata, Gilgamesh era um bravo guerreiro, mas seus adultérios fizeram com que os deuses lhe enviassem um parceiro com aparência de animal, Enkidu. O primeiro desafio da dupla é matar Humbaba, o monstro que protegia a Floresta de Cedro sagrada de Enlil. Gilgamesh irrita a deusa Inanna (Ishtar) ao recusar seus avanços, e por isso ela envia o Grande Boi do Céu – que Gilgamesh também mata. Em retaliação, os deuses tiram a vida de Enkidu. Gilgamesh, arrasado, desce ao mundo inferior para vencer a morte. Passa pelos dois homens-escorpiões que guardam a entrada e conhece Siduri, que o ajuda a atravessar o rio do mundo subterrâneo. Lá, ele encontra Utnapishtim, o sobrevivente do Dilúvio (ver p. 306).

Gilgamesh pergunta-lhe sobre o segredo da vida eterna. Contudo, quando é desafiado a permanecer acordado por seis noites, fracassa e percebe que é mortal. No entanto, Utnapishtim lhe fala acerca de uma planta que conserva a juventude. Gilgamesh a coleta, mas é roubado por cobras (o que explica por que esses animais trocam de pele). Finalmente aceitando sua condição de mortal, ele retorna a Uruk.

À ESQUERDA *O rosto de um dos adversários de Gilgamesh, Humbaba, semelhante a intestinos enrodilhados.*
PRÓXIMA PÁGINA *Gilgamesh aparece entre dois homens-touros, que sustentam um disco solar alado.*

Sigmund
e Siegfried

Sigmund e Siegfried, pai e filho, são os maiores heróis das mitologias germânica e nórdica. Ambos figuram notavelmente na *Saga dos Volsungos* e no poema épico *Canção dos Nibelungos*, obras do século XIII que inspiraram, por sua vez, o celebrado ciclo de óperas de Wagner, *O Anel dos Nibelungos*.

Sigmund, descendente de Odin, provou sua linhagem ao remover a espada Gram de uma árvore. Essa espada mais tarde seria quebrada, quando Sigmund, de maneira equivocada, atacou Odin e os pedaços foram guardados por Siegfried (em nórdico antigo, Sigurd).

Uma das lendas mais importantes vinculadas a Siegfried envolve seu pai adotivo, Regin, e o irmão de Regin, Fafnir. Depois de herdar o tesouro amaldiçoado, Fafnir se transforma em um dragão. Siegfried resolve matar o dragão e Odin o aconselha a cavar uma vala para armazenar o sangue.

Siegfried mata o dragão usando a espada Gram e banha-se no sangue de Fafnir para se tornar invencível. Depois de beber um pouco dele, o herói descobre que consegue entender os pássaros, pelos quais é informado de que Regin pretende matá-lo. Ele mata Regin primeiro, depois come o coração do dragão, o que lhe dá o dom da profecia.

À DIREITA *Siegfried mata o dragão Fafnir.*
PRÓXIMA PÁGINA *Sigurd (Siegfried), à esquerda, testa a espada recém-reparada – e a quebra.*

8

MISSÕES,
JORNADAS
E ÉPICOS

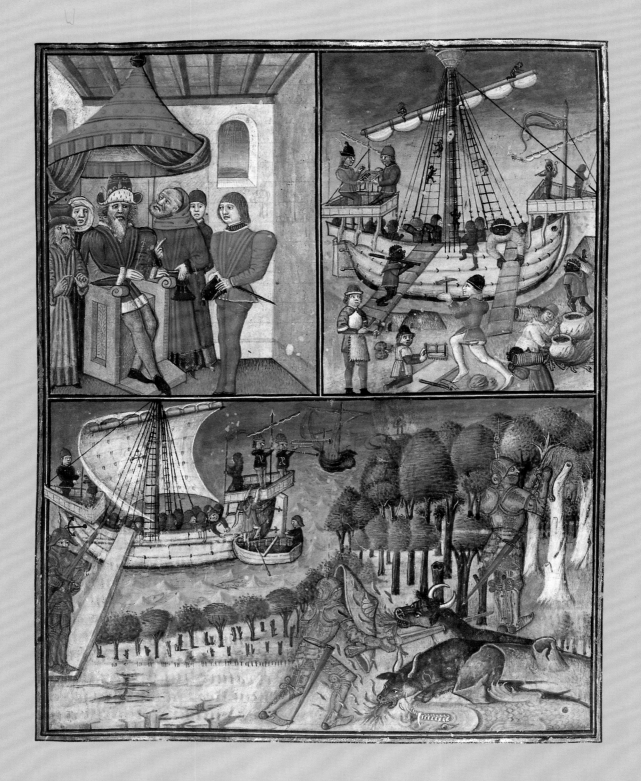

Os épicos mitológicos têm uma longa história e remontam à *Epopeia de Gilgamesh*, escrita no final do terceiro milênio a.C. Desde então, muitas culturas diferentes produziram suas próprias sagas, incluindo a *Ilíada* e a *Odisseia*, o *Ramáiana*, o *Mahabharata*, a *Edda Prosaica* e a *Edda Poética*, *Beowulf* e a *Kalevala* – todas elas pilares da mitologia, bem como fontes primordiais de informações sobre deuses, deusas e até mesmo a vida cotidiana. Em alguns casos, esses textos são abertamente religiosos. Todavia, em sua maior parte, eles simplesmente contam histórias.

Alguns épicos podem estar associados a mitos fundadores e concepções de nacionalidade. A história do Êxodo dos hebreus, do Egito a Jericó, como contada no Antigo Testamento, bem como de suas subsequentes andanças no deserto estão vinculadas às origens do Israel antigo.

No século XIX, contos folclóricos e mitologias nativas locais foram reunidos no livro conhecido como *Kalevala*, o que ajudou a dar à nação finlandesa um senso de identidade. A *Canção dos Nibelungos* foi fundamental para a cultura germânica. A *Eneida*, que relata o destino do herói troiano Eneias após a queda de Troia (e que foi escrita pelo poeta romano Virgílio no século I a.C.), essencialmente oferece uma explicação para a fundação de Roma e as origens de seu povo.

Alguns desses épicos envolvem missões para encontrar um objeto ou poder especial – em particular, o segredo da vida eterna ou da iluminação espiritual, como no caso da busca pelo Santo Gral. A novela épica chinesa *Jornada ao Oeste* documenta a procura de textos-chave budistas na Índia, e, no mito grego, Jasão viajou em busca do Velocino de Ouro.

O *Mahabharata* – uma das grandes epopeias em sânscrito – conta a rixa entre duas famílias, os Pandava e os Kaurava. O mais longo poema épico do mundo, ele provavelmente apareceu em sua forma final no século IV. Na *Ilíada*, os deuses gregos estavam ligados a personagens lutando em ambos os lados, eram partidários e, ocasionalmente, mudavam suas alianças. Na Guerra de Troia, deuses como Poseidon faziam-se presentes temporariamente no campo de batalha até que Zeus ordenasse sua saída.

PÁGINAS 310 E 311 *A batalha entre os exércitos de Rama e do rei de Lanka.*
PÁGINA ANTERIOR *A história de Jasão, enviado para recuperar o Velocino de Ouro.*
ACIMA *Aquiles luta contra a rainha amazona Pentesileia.*

A magia muitas vezes introduz um toque de acaso às missões mitológicas. Circe e Medeia tanto ajudaram como atrapalharam os heróis gregos com seus feitiços; e as mitologias japonesa, chinesa e irlandesa mencionam a viagem no tempo. A obra *Metamorfoses*, de Ovídio, é um catálogo de transformações mágicas, de aparições e de desaparecimentos repentinos (ver p. 248).

Os protagonistas de missões e épicos são quase sempre masculinos, embora as mulheres possam ocupar um papel decisivo. A Guerra de Troia foi desencadeada pela paixão de Páris por Helena, e Ulisses é constantemente atormentado por mulheres tentadoras. Rama está à procura da esposa raptada: quando a encontra, ela tem que se jogar em uma pira para convencê-lo de que não foi infiel. Os personagens de *Jornada ao Oeste* passam por uma terra governada por mulheres – na mente do autor, uma clara inversão da ordem natural – e Héracles luta contra as amazonas. Jasão e os Argonautas chegam à ilha de Lemnos e descobrem que as mulheres mataram seus maridos.

As ilhas que Ulisses descobre em dez anos de perambulações refletem a "alteridade" de países estrangeiros em um tempo em que viagens de longa distância eram muito menos comuns. Assim como Plínio mais tarde descreveu as "raças monstruosas" que podiam ser encontradas em lugares como a Índia e a Etiópia, as jornadas épicas ofereciam uma boa oportunidade para os voos da imaginação. Em *Jornada ao Oeste*, por exemplo, os quatro heróis percorrem estranhas nações e, para se ajustarem, precisam adaptar-se a costumes peculiares.

Talvez o destino final, no entanto, seja o mundo inferior. Diversos heróis viajaram para lá, incluindo Orfeu, Gilgamesh, os Gêmeos Heróis maias e Cristo. Todos retornaram à terra dos vivos com alguma nova sabedoria ou dom, e alguns chegaram mesmo a subjugar a própria morte.

ACIMA *O momento mais dramático do Êxodo: as águas do mar Vermelho aniquilam os soldados do Faraó.*
PRÓXIMA PÁGINA *Édipo surge diante da Esfinge, ponderando sobre seu enigma, enquanto encara o monstro diretamente nos olhos.*

Armas mágicas

As armas mágicas são essenciais aos heróis que partem em missões. O rei Artur empunhava Excalibur, forjada na ilha de Avalon e dada a ele pela Dama do Lago; e o herói germânico Sigmund retirou a espada Gram de uma árvore.

O rei Macaco, em *Jornada ao Oeste*, carrega um bastão mágico de ferro que pode mudar de tamanho. Obtido do Rei Dragão do Mar Oriental, ele pesa várias toneladas, mas pode ser guardado atrás da orelha do Macaco. O martelo de Thor, Mjölnir – que produzia trovões e era capaz de destruir montanhas – também podia ser miniaturizado. A arma de escolha de Odin era a lança Gungnir: fabricada por anões, ela sempre atingia seu alvo. O japonês Susanoo, deus do mar e das tempestades, descobriu a espada Kusanagi na cauda de uma fera e a usava para controlar o vento.

ACIMA *Amuleto com o formato do martelo de Thor, Mjölnir.*
À DIREITA *Em* Jornada ao Oeste, *o rei Macaco sempre viaja com seu bastão de ferro mágico.*
PRÓXIMA PÁGINA *A Dama do Lago recebe Excalibur, a espada de Artur, enquanto o rei se senta às margens, moribundo.*

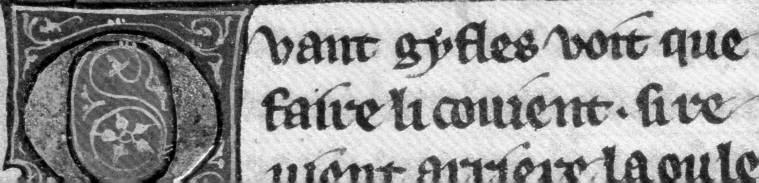

vant gifles voit que
faire li couuient. ſire
uient arrier la que

Jasão

Os principais mitos em que Jasão se faz presente começam com sua visita ao rei Pélias, em Iolco, Tessália. O rei fora advertido para tomar cuidado com o homem usando apenas um calçado – e Jasão havia perdido um deles em um córrego durante sua jornada. Pélias decidiu enviar Jasão em uma longa e perigosa missão, encarregando-o de recuperar o Velocino de Ouro.

Jasão reuniu um grupo de homens para navegar na nau mágica Argo (razão pela qual eles eram chamados de "argonautas"), incluindo Héracles e os gêmeos Cástor e Pólux. O itinerário dos argonautas incluía uma ilha habitada apenas por mulheres, algumas harpias ladronas e falésias que esmagavam todos os navios que por ali passassem. Finalmente eles chegaram à Cólquida, na atual Geórgia, onde o rei, Eetes, concordou em entregar o Velocino a Jasão se ele completasse três tarefas. A primeira consistia em arar um campo usando bois que cuspiam fogo; na segunda tarefa, o herói precisava semear alguns dentes de dragão, os quais se transformavam em soldados hostis (Jasão os fez matarem uns aos outros); e a terceira consistia em derrotar o dragão que guardava o Velocino de Ouro (filha de Eetes, a feiticeira Medeia – que se apaixonara por Jasão – deu-lhe uma poção para fazer o dragão dormir).

Voltando para casa com Medeia, Jasão conheceu outra feiticeira, Circe, e passou pelas sereias. Depois de navegar por Creta, eles foram atacados por um imenso homem de bronze (Medeia o fez sangrar até a morte).

Anos mais tarde, Jasão decidiu se casar com outra mulher. Medeia ficou furiosa, matou a esposa de Jasão e seus filhos, e deixou o herói sozinho. Jasão foi morto quando um pedaço da Argo, já deteriorado, caiu sobre sua cabeça.

ACIMA *Jasão, acompanhado de Medeia e dos argonautas, retira da árvore o Velocino de Ouro.*
PRÓXIMA PÁGINA *Jasão e seus seguidores a bordo da Argo.*

A guerra de Troia

Nosso conhecimento da Guerra de Troia, em que um exército de gregos sitiou a cidade de Troia (na atual Turquia), vem de uma série de fontes, das quais a mais importante é a *Ilíada*, de Homero, escrita no século VIII a.C.

O conflito começa com Páris, o filho mais jovem de Príamo, rei de Troia. Após decidir que Afrodite é a mais formosa das deusas (ver p. 270), ele obtém a mão da bela Helena (que ainda é esposa de Menelau, rei de Esparta) e a leva para Troia.

Ao descobrir o rapto de Helena, Menelau convoca os outros reis da Grécia (inclusive Ulisses), que haviam jurado socorrer uns aos outros. Eles, por sua vez, recrutam o invulnerável e implacável Aquiles. Os gregos montam acampamento em uma praia próxima de Troia, e assim se inicia o exaustivo cerco de dez anos da cidade.

Surgem tensões no acampamento grego e Aquiles decide ir para casa. No entanto, depois da morte de seu companheiro Pátroclo nas mãos do príncipe troiano Heitor, ele resolve permanecer tempo suficiente para se vingar.

Um dia, os troianos descobrem que os navios gregos haviam partido e que um enorme cavalo de madeira fora deixado diante dos portões da cidade. Os troianos o recebem como um presente e o arrastam para dentro dos portões, sem saber que ele escondia soldados gregos. Naquela noite, os soldados deixam o cavalo, abrem os portões de Troia e a cidade é invadida. Contudo, na luta que se segue, Aquiles é atingido por uma flecha no calcanhar – a única parte vulnerável de seu corpo – e morre. Helena retorna com Menelau e acaba sendo perdoada. Aos poucos, os outros sobreviventes da guerra retomam o caminho de casa; para Ulisses, a viagem demora outros dez anos.

ACIMA *Trabalho em relevo do antigo reino de Gandara que, muito provavelmente, mostra o cavalo de madeira sendo levado a Troia.*

PRÓXIMA PÁGINA *O troiano Eneias foge com sua família enquanto Troia é tomada pelos gregos.*

ACIMA, À ESQUERDA E À DIREITA *A Guerra de Troia constitui, talvez, a principal narrativa da mitologia grega – e continuou a capturar a imaginação na Idade Média. Estas gravuras mostram o cerco e a queda de Troia.*
PRÓXIMA PÁGINA *O longo e arrastado cerco deixou os homens com tempo de sobra. Na imagem, Ájax e Aquiles jogam dados.*

PÁGINA ANTERIOR *Tétis, deusa das águas e mãe de Aquiles, conforta o filho após a morte de Pátroclo.*

ACIMA *Aquiles, forçado a entregar a escrava Briseida a Agamêmnon, reage com fúria e se retira da luta.*

Ulisses

|||||||||||||||||||||||||||||||||||||||||||

A *Odisseia*, poema épico de Homero, tem início dez anos após a queda de Troia, e relata a história da longa e aventurosa jornada de Ulisses de volta a seu lar em Ítaca, e à sua amada esposa, Penélope.

Logo depois que Ulisses e seus homens zarpam, as naus saem do curso e chegam às praias da ilha dos Lotófagos. Nesse lugar, dois dos homens de Ulisses comem uma substância que os faz esquecer sua terra natal. Em outro episódio, Ulisses é capturado pelo ciclope Polifemo. O herói cega o único olho do gigante e foge (ver p. 269), mas provoca a ira do pai de Polifemo, Poseidon, que amaldiçoa Ulisses a passar dez anos no mar.

Em seguida, os homens aportam na ilha de Éolo, o deus do vento, que dá a Ulisses um saco de ventos para ajudá-lo a voltar para casa, mas seus companheiros o abrem e os ventos sopram, desviando-os do curso mais uma vez.

Nas ilhas subsequentes eles encontram os Lestrigões, gigantes canibais (que capturam todos os navios de Ulisses, com exceção de um), e a bruxa Circe (que transforma alguns dos homens em animais). Após alcançar o limite ocidental do mundo, Ulisses comunica-se com sua mãe morta, depois navega e sobrevive às sereias (amarrado ao mastro, para poder ouvir suas canções em segurança), à monstruosa Cila e ao redemoinho Caríbdis. Durante um breve período na ilha de Trinácia, os homens comem o gado sagrado de Hélio. Novamente amaldiçoados, todos, menos Ulisses, morrem em um naufrágio logo depois.

Ulisses desembarca na ilha da ninfa Calipso, que o mantém cativo por sete anos, até que Hermes a convence a deixá-lo partir. Ulisses constrói uma jangada e navega para casa. Chegando a Ítaca, descobre sua casa invadida por pretendentes à mão de Penélope. Disfarçado de mendigo, apanha seu velho arco e mata os pretendentes. Depois de vinte anos fora, ele finalmente está em casa.

ABAIXO *Uma das cenas mais famosas da Odisseia: Ulisses navega próximo às sereias, amarrado ao mastro de seu navio.*
PRÓXIMA PÁGINA *O astuto Ulisses oferece vinho ao ciclope Polifemo (mostrado aqui com três olhos em vez de um).*

À ESQUERDA *A viagem de Ulisses o levou ao mundo subterrâneo, onde encontrou o profeta Tirésias.*

PRÓXIMA PÁGINA *A feiticeira Circe transforma os companheiros de Ulisses em animais.*

ACIMA *Ulisses e a feiticeira Circe.*
ABAIXO *Ulisses encontra a jovem princesa Nausícaa.*
PRÓXIMA PÁGINA *A fiel Penélope, enquanto trabalha em seu tear,
é abordada por pretendentes. Pela janela, pode-se ver a chegada
de Ulisses.*

Êxodo

||||||||||||||||||||||||||||||||||||||||||||||||||

A saída dos israelitas do Egito é, talvez, o momento mais decisivo da mitologia judaica. Eles migraram para lá na época de Jacó e José, para fugir da fome em Canaã. Quatro gerações depois, o Faraó, preocupado com a crescente população hebraica, ordenou a morte de todos os bebês hebreus. O recém-nascido Moisés, deixado em uma cesta nas águas do Nilo, foi encontrado pela filha do Faraó e criado, depois de certa idade, na família real. Depois de matar um senhor de escravos, ele foge para o deserto, onde Deus revelou seu destino falando através da Sarça Ardente.

O Faraó se recusou a permitir a partida dos israelitas e por isso Deus enviou as Dez Pragas ao Egito. O monarca egípcio inicialmente cedeu, mas depois se arrependeu e partiu em perseguição aos israelitas. Quando os encontrou, viu Moisés abrir milagrosamente o mar Vermelho, o que permitiu a passagem segura dos hebreus. Depois o fechou sobre os egípcios, afogando seus exércitos.

De acordo com a Bíblia, 600 mil homens deixaram o Egito, além de mulheres e crianças. Quando os israelitas ficaram com sede, Moisés feriu uma rocha para obter água. E em períodos de fome, Deus enviava o maná do céu. Durante todo o tempo eles eram atacados por cobras venenosas e tribos hostis, e ficavam desestabilizados por desavenças. Um episódio famoso do tempo dos israelitas no deserto é a subida de Moisés ao cume do monte Sinai para receber as tábuas contendo os Dez Mandamentos. Elas foram posteriormente guardadas na Arca da Aliança, que ficava alojada no Tabernáculo.

O próprio Moisés não tinha permissão para atravessar o rio Jordão e assim jamais entrou na Terra Prometida, em Canaã. Segundo a Bíblia, o próprio Deus sepultou o profeta quando ele morreu.

LA SECONDE PLAIE EN EGYPTE.

Die zweyte Egyptische Plage.

Und der Herr sprach zu Moyse, sage Aaron, recke deine Hand aus, mit deinem Stabe über die Bäche u. Ströme, u. See, und, laß Frösche über Egyptenland kommen. Und Aaron recket seine Hand über die Wasser in Egypten, und kamen Frösche herauf, das Egyptenland bedeckt ward, und sie kamen in das Hauß, Kamer, Lager und auf das Bete Pharao, in die Häuser seiner Knechte, unter sein Volck, in ihre Backöffen, und in ihre Teige. 2. Buch Mose Cap. 8. v. 3. 5. 6.

La Seconde Plaïe en Egypte.

L'Eternel donc dit a Moise di a Aaron; éten ta main avec ta verge sur les Fleures, sur les rivieres, et sur les marais et fai monter les grenouilles sur le pais d'Egypte. Et ils sont monte dans la Maison, dans la Chambre et sur lit du Pharaon, et dans la Maison de ses serviteurs, et parmi tout son peuple, dans ses leurs fours et dans leurs mais. Exode Cap. 8. v. 3. 5. 6.

Se vend à Augsbourg au Negoce comun de l'Academie Imperiale d'Empire des Arts liberaux avec Privilege de Sa Majesté Imperiale et avec Defense ni d'in faire ni de vendre les Copies.

PÁGINA ANTERIOR *Os israelitas são guiados por Deus na forma de uma coluna de fumaça.*
ACIMA *A segunda praga do Egito, em que as rãs invadiram o país.*

做孫悟空

Jornada ao Oeste

No século VII, o monge budista chinês Xuanzang fez uma jornada lendária à Índia para obter textos sagrados. Novecentos anos depois, em meados do século XVI, o autor chinês Wu Cheng'en reescreveu a história e introduziu um grande número de elementos fantásticos.

Nessa versão mítica, Xuanzang (também chamado Tripitaka), em sua missão, é acompanhado pelo sobrenatural rei Macaco – que parte com o monge como condição para ser libertado da prisão, pois havia causado caos na Terra, no céu e no inferno: ele roubara o bastão do Rei Dragão do Mar Oriental, removera suas próprias páginas do *Registro dos vivos e dos mortos* e comera os Pêssegos da Imortalidade que estava guardando. Os outros dois companheiros de Xuanzang, Pigsy e Frei Areia, também ofenderam os deuses.

Na viagem, os quatro personagens encontram demônios, povos hostis, magos do mal, rios intransponíveis e monstros incontroláveis. Chegam à Índia em segurança, contudo, e depois de conseguir os sutras do próprio Buda, alcançam a iluminação, enquanto os outros viajantes recebem funções celestiais.

PÁGINA ANTERIOR *O travesso rei Macaco examina um pergaminho.* ACIMA *Algumas façanhas dos quatro exploradores, retratadas por Hokusai.*

que descem ao mundo inferior – o reino dos mortos – e retornam são comuns à maior parte das mitologias. Os Heróis Gêmeos maias empreenderam essa jornada; após sua chegada, desafiaram os senhores do mundo subterrâneo a um jogo de bola (e venceram). Na mitologia nórdica, o semidivino Hermod desce até Hela para recuperar Balder. O antigo mito grego relata como Orfeu entrou no reino de Hades para resgatar sua amada Eurídice. Ela foi autorizada a partir, mas Orfeu não tinha permissão para olhar para trás até que estivesse do lado de fora. Ele, porém, foi incapaz de resistir e Eurídice foi condenada a permanecer ali para sempre.

Na *Epopeia de Gilgamesh*, o selvagem Enkidu desce ao mundo inferior, mas, assim como Orfeu, desobedece às instruções estritas e lá deve permanecer. No entanto, o deus Sol Shamash cria um buraco na terra para Enkidu escapar.

A descida de Cristo ao inferno aconteceu três dias após a crucificação. Ele libertou todos os que haviam morrido até aquele momento, começando com Adão, o primeiro homem. No Japão, o primeiro homem, Izanagi, visitou sua esposa Izanami no mundo inferior, mas ela o afugentou. Quando ele saiu, gerou Amaterasu de seu olho esquerdo.

A epopeia finlandesa *Kalevala* conta a história do herói Lemminkäinen. Quando ele se afoga no rio do mundo subterrâneo, sua mãe o procura por toda parte. Ao saber de seu destino, ela desce ao mundo inferior, junta e costura todos os pedaços de seu corpo e o traz à vida com a ajuda dos deuses.

ABAIXO *A Sibila de Cumas conduz o herói romano Eneias pelo mundo inferior.*
PRÓXIMA PÁGINA *Dante e Virgílio atravessam o rio Aqueronte, no inferno.*

O Santo Gral

A lenda do Santo Gral diz respeito ao cálice, supostamente dotado de propriedades mágicas, usado por Jesus durante a Última Ceia. Embora as lendas do Gral pareçam datar do século XII, elas talvez estejam reproduzindo antigas mitologias celtas.

Os mitos mais conhecidos envolvendo o Gral giram em torno da corte do rei Artur, mais especificamente da figura de Percival (às vezes chamado Parsifal). Na obra do poeta francês Chrétien de Troyes, escrita no final do século XII, Percival vê o Gral em um sonho durante sua estada na residência mágica do rei Pescador.

Outras versões do mito vinculam intimamente o Gral a *sir* Galaaz. Quando Galaaz é apresentado à corte de Artur, ele se senta na "Cadeira Perigosa" – o assento reservado ao cavaleiro que encontraria o Gral. Galaaz parte em sua missão, atravessando o mar até um castelo onde o artefato era guardado pelo rei Pelles. Contudo, Galaaz é mais tarde transportado ao céu por anjos e o Santo Gral se perde mais uma vez.

ACIMA *O templo do Santo Gral, imaginado por um artista alemão. A figura masculina no centro, à esquerda, é Percival (Parsifal).*
PRÓXIMA PÁGINA *Artur e seus cavaleiros, sentados à Távola Redonda, veneram o Santo Gral.*

it le roy fut issue du moustier et il vint
... en hault se comanda q̃ les nappes
... mises Et lors sallerent sour les com
... chun en son lieu ainsi comme il auo
... fait au matin Et quant ilz se furent tos
... lors oyrent vng estoy de tonnaire si
... et si merueilleux qu'il leur su aduis q

leu ne dire mot tant furent mens etuans
petis Et quant demon ves furet quat pier
telle maniere que nul deulx n'auoit pouoir
puler ains regardoient to̅ ꝉe bestes mue

SINOPSE DAS MITOLOGIAS DO MUNDO

Mitologia aborígene australiana

Os povos indígenas da Austrália habitam aquele vasto continente há cerca de 50 mil anos e, até uma época relativamente recente, estiveram quase completamente isolados de outras culturas. Por esse motivo, sua mitologia está intimamente relacionada à geografia australiana. Assim como no caso da cultura nativo-americana, alguns mitos são compartilhados entre os diferentes grupos aborígines (dos quais existem várias centenas), enquanto outros mitos são específicos da topografia e das condições locais.

Para os aborígines australianos, todas as coisas remontam ao Sonho ou ao Tempo dos Sonhos – a época em que a Terra se formou. Durante esse período, a terra seria habitada por espíritos ou ancestrais, que faziam longas "caminhadas". Enquanto viajavam pela nação, eles criaram pessoas e marcos geográficos, assim como rituais e cerimônias instigantes. Embora crenças semelhantes sejam encontradas em toda a Austrália, histórias relacionadas aos criadores tendem a ser localizadas. Como na América do Norte, a paisagem é considerada sagrada e fonte da vida. Poços, cavernas, montanhas, além de marcos como Uluru (A Rocha), por exemplo, guardam significado especial, inclusive porque muitas dessas formações são vistas como os restos dos próprios seres criadores.

As principais figuras pan-aborígines incluem a chamada Serpente Arco-Íris, uma cobra gigante que andava pela Terra nomeando objetos e criando marcos. Outra mitologia desenvolveu-se em torno do capitão James Cook, o marinheiro britânico que "descobriu" a Austrália e que, para os indígenas australianos, é descrito como uma espécie de vilão.

Mitologia celta

Os celtas eram um povo da Idade do Ferro encontrado em toda a Europa Central, norte da Espanha, França e Ilhas Britânicas. As primeiras evidências de sua cultura datam do século VIII a.C., embora o povo já existisse há milênios. Sua religião politeísta espalhou-se por toda a Europa antes da cristianização: uma ramificação particular, popular na Gália e nas ilhas britânicas, foi o druidismo.

Os celtas deixaram muito pouca cultura escrita. O que hoje conhecemos como mitologia "celta" vem, em sua maior parte, de Escócia, Irlanda e País de Gales; muitas dessas histórias somente foram escritas nos séculos VII e VIII, e vários dos documentos sobreviventes datam do século XII. Felizmente para a posteridade, o principal inimigo dos celtas no século I a.C., Júlio César, escreveu uma história de suas campanhas na Gália, em que descreve os aspectos da religião local. Apesar do fato de os celtas, os romanos e as tribos germânicas dividirem uma herança indo-europeia comum, César provavelmente exagerou ao associar os deuses celtas a seus equivalentes romanos.

Os principais deuses celtas eram Belenus (um deus solar), Sulis (deusa das fontes e, provavelmente, uma importante deusa mãe), Teutates (deus da guerra), Lugus (o equivalente de Mercúrio e deus das artes), Cernuno (o deus, com chifres, da fertilidade) e Taranis (o deus do trovão relacionado a Júpiter). O símbolo de Taranis, uma roda raiada, aparece com frequência na arte celta, como no Caldeirão de Gundestrup.

Em termos gerais, a mitologia celta é caracterizada pela importância e a vitalidade da natureza, a presença de uma Grande Deusa (e outras deusas poderosas) e a existência dos *genii loci* – espíritos de um local particular.

Textos-chave: Não há textos celtas sobreviventes, mas o épico galês Mabinogion oferece-nos um certo sabor de mitologia celta, assim como os ciclos *Mitológicos* e *Fenianos* irlandeses.

Mitologias centro-americana e sul-americana

As civilizações mais importantes da mesoamérica foram a olmeca (do segundo milênio a.C. até cerca de 400 a.C.), a maia (período clássico: 250-900 d.C.), a tolteca (800-1000 d.C.) e a asteca (séculos XIV a XVI). Elas floresceram aproximadamente na mesma área ocupada pela moderna Cidade do México. Todas eram politeístas, construíam pirâmides, interessavam-se pelas estrelas e acreditavam que sua capital era o centro do universo. Também tinham em comum um calendário complexo. A maioria praticava o sacrifício humano, considerando-o essencial ao bom funcionamento do cosmo e para garantir que os deuses fornecessem água e luz do Sol.

Das quatro civilizações, pouco se sabe sobre a olmeca, a qual cultuava um grande número de deuses que combinavam qualidades humanas e animais. Esses grupos não deixaram nenhum material escrito, mas se acredita que seus deuses sobreviveram em culturas posteriores. A mitologia maia é conhecida por meio do texto chamado *Popol Vuh*, que inclui algumas das histórias relativas aos Heróis Gêmeos e às origens do Sol e da Lua. Os maias e os astecas acreditavam nas forças personificadas da natureza e desenvolveram uma teoria cíclica do tempo, acreditando em um universo de três níveis e um mundo subterrâneo de nove (os maias o chamavam Xibalba, ou "lugar do medo").

Os Heróis Gêmeos eram essenciais à mitologia maia: heróis culturais que desceram a Xibalba e derrotaram os senhores do mundo inferior em um jogo de bola, e que finalmente transformaram-se no Sol e na Lua. O *Popol Vuh* conta sua história e explica como o mundo foi criado, usando a metáfora agrícola do milho (uma das bases da cultura mesoamericana) e como o Furacão criador destruiu os primeiros humanos, defeituosos, com um dilúvio. Um impostor conhecido como Sete Arara tentou, depois desse desastre, ocupar a posição de principal divindade, mas foi destruído pelos Heróis Gêmeos. Os humanos foram refeitos utilizando-se milho.

A mitologia asteca tornou-se conhecida por meio dos próprios códices dos astecas e de relatos escritos pelos conquistadores espanhóis. A cultura asteca era centralizada na cidade de Tenochtitlán, construída por volta de 1325 e considerada o centro do mundo por seus criadores. O mundo inferior dos astecas era chamado Mictlan, e o céu, Tlalocan. O nível dos humanos, localizado entre eles, era sustentado pelo Sol. Os sóis nasciam e morriam em um ciclo de renovação: os detalhes variam de acordo com as diferentes versões do mito, mas, atualmente, estamos na era do quinto Sol, governada por Tonatiuh. Os principais deuses astecas são Quetzalcóatl (a Serpente Emplumada, um deus criador associado à água e à chuva, herdado de culturas anteriores), Tezcatlipoca (deus da guerra) e Coatlicue (a Grande Mãe, que usa uma saia feita de serpentes).

O povo pré-colombiano mais conhecido da América do Sul foi o inca, que ocupou o Andes entre o século XII e a chegada dos espanhóis, em 1532. Sua civilização foi fundada pelo rei Manco Capac, que, segundo alguns, era filho do deus Sol Inti. Para os incas, o centro do mundo era a capital imperial de Cusco e a topografia circundante influenciou fortemente sua mitologia. O lago Titicaca era particularmente sagrado, considerado uma *huaca*, um local ou objeto de especial importância. Como os mesoamericanos, os incas acreditavam em um mundo de três níveis, um céu e um mundo inferior. Seus principais deuses incluíam Pacha Kamaq (o deus da criação), Viracocha (o criador da civilização), Mama Qucha (a deusa do mar) e Inti (o deus do Sol).

Texto-chave: *Popol Vuh.*

Mitologias chinesa, japonesa e coreana

As mitologias de China, Japão e Coreia têm sido profundamente influenciadas pelo budismo, e cada uma delas representa uma síntese do budismo com outro sistema de crenças: o taoismo, no caso da China; o xintoísmo no Japão; e crenças xamânicas nativas na Coreia.

Todavia, os três países compartilham muitas tradições. Nelas, a linha divisória entre o real e o mítico é nublada – por exemplo, no modo como governantes terrenos são considerados descendentes de divindades. Todas possuem uma grande coleção de criaturas mitológicas, e o dragão é a principal delas. As três atribuem grande importância aos pontos cardeais (norte, sul, leste, oeste), assim como às montanhas, consideradas moradas de deuses e espíritos.

Para os coreanos, a humanidade foi precedida por proto-humanos, que pecaram ao comer outros seres vivos (uvas), e por isso caíram em desgraça, perdendo sua imortalidade. Até certo ponto, eles foram redimidos por seu primeiro soberano, Hwanung (que provavelmente desceu do céu), que lhes ensinou a agricultura e outras habilidades essenciais à vida. De acordo com um mito, Hwanung permitiu a um urso tornar-se humano. Transformado em uma bela mulher, o urso gerou Dangun, que por sua vez veio a ser o pai do povo coreano.

Segundo a mitologia chinesa, a criação começou com Pan Ku, que separou a terra do céu. Todavia, as maiores divindades do taoismo são os Três Puros, que encarnam o tao – fluxo criativo – do universo. Eles passaram a ser vistos como Passado, Presente e Futuro, embora estejam também associados ao céu, à terra e ao mundo inferior. Toda a criação foi presidida pelo Imperador de Jade (Yu Huang), assistente dos Três Puros.

Nuwa e Fu Xi são frequentemente apontados como os ancestrais supremos da humanidade. Nuwa, que possuía o corpo de uma serpente, criou o homem. Ela também restabeleceu um dos quatro pilares (provavelmente uma montanha) que sustentavam o firmamento, depois que ele foi atingido pelo demônio Gong. Nuwa reparou o dano, substituindo o pilar pelas pernas de uma tartaruga gigante. Fu Xi, irmão e marido de Nuwa, veio a se tornar um dos primeiros governantes da China, seguido por Shennong e Huang Di. Todos esses personagens, que teriam supostamente vivido no terceiro milênio a.C., ensinaram a seus súditos as habilidades necessárias para sobreviver, incluindo a agricultura e a medicina. A fera mítica chinesa mais importante é, sem dúvida, o dragão, que, acreditava-se, tinha poder sobre as águas.

A mitologia japonesa combina crenças populares com o budismo e o xintoísmo. O panteão japonês é vasto: até mesmo o atual imperador japonês é considerado por alguns o descendente do Sol. Os últimos dentre os primeiros deuses, Izanagi e Izanami, criaram o arquipélago japonês, com Izanami gerando oito das ilhas. Ela também era mãe de uma série de deuses menores, e foi morta ao dar à luz a encarnação do fogo. Izanagi desceu ao inferno para resgatar sua esposa, mas não teve sucesso. Ao retornar, ele criou os deuses Amaterasu e Susanoo, respectivamente o Sol e as tempestades. Amaterasu finalmente concedeu a seu neto, Ninigi, os Três Tesouros Sagrados, dois dos quais existem ainda hoje em lugares santos. Jimmu, o primeiro imperador do Japão, era bisneto de Ninigi, e todos os imperadores subsequentes são tradicionalmente considerados seus descendentes.

O inferno aparece com frequência na arte japonesa, e nele os demônios ocupam um papel importante, punindo e aterrorizando a humanidade. Eles fazem parte de um corpo mais amplo de monstros e espíritos do que de pessoas da mitologia popular japonesa.

Textos-chave: para a mitologia chinesa, o *Shan Hai Jing* ("Pergaminho da montanha e do mar", escrito no século II a.C.), o *Hei'an Zhuan* ("Épico da escuridão", um registro de tradição oral), e a *Jornada ao Oeste*. No Japão, os melhores compêndios são o *Kojiki* (uma coleção de mitos do século VIII) e o *Nihon Shoki* (terminado no ano 720).

Mitologia egípcia

As antigas mitologia e sociedade egípcias foram moldadas pela geografia e o clima do país – sobretudo pela distinção entre o deserto hostil e as duas faixas de terras férteis que ladeiam o rio Nilo. A inundação anual do Nilo tornou a agricultura possível – um papel crucial que se reflete na mitologia.

A antiga civilização egípcia perdurou do quarto ao primeiro milênio a.C. O que sabemos sobre sua mitologia provém da arte funerária, inscrições encontradas em monumentos antigos, fragmentos do Livro dos Mortos e dos relatos gregos e romanos. A história de Ísis e Osíris era essencial ao mito egípcio: Osíris foi morto por seu ciumento irmão Seth (que mais tarde foi associado ao caos e ao mal), apenas para ser ressuscitado por Ísis, sua irmã e esposa, pelo tempo suficiente para conceber Hórus. Osíris então desceu ao mundo inferior para tornar-se o deus dos mortos. A morte e o renascimento de Osíris refletem a inundação anual do Nilo.

A mitologia egípcia também reconhecia a importância central do deus do Sol, Rá, que navegava ao redor do mundo em uma barca solar. Suas energias eram renovadas por Osíris, e toda noite ele lutava contra Apep, a serpente do caos; a alvorada simbolizava a restauração da ordem. Às vezes Apep vencia a batalha, ocasionando trovoadas. Quando Apep engolia Rá inteiro, o resultado eram eclipses solares.

Os deuses egípcios eram algumas vezes locais e com o tempo se unificavam para formar novas divindades. Como na Mesopotâmia, os deuses egípcios muitas vezes tinham significado político, e os novos faraós podiam escolher enfatizar a importância de uma divindade particular. Por exemplo, o mito da criação surgido em Heliópolis sustentava que Atum (que se criou das águas do caos) era o criador do mundo. Mais tarde, ele se uniu a Rá, e Atum-Rá foi criado.

Outros deuses importantes eram Tot (o "coração de Rá", associado à Lua, ao tempo e à magia), Anúbis (o deus funerário, com cabeça de chacal), Bes (um deus doméstico), Geb (o deus da terra), Nut (a deusa do céu) e Hator (a deusa-vaca do céu).

Textos-chave: *O livro dos mortos*; *Sobre Ísis e Osíris*, de Plutarco; *Histórias*, livro 2, de Heródoto.

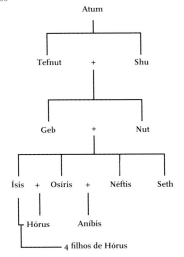

ÁRVORE GENEALÓGICA
DOS DEUSES EGÍPCIOS

Mitologias grega e romana

Os sistemas mitológicos grego e romano são os mais famosos da Europa e base de diversas religiões entre o segundo milênio a.C. e o século v d.C. Suas histórias foram contadas e recontadas centenas de vezes. Os leitores, em especial os europeus, irão se sentir familiarizados com os contos de Teseu e o Minotauro, Ulisses, o Cavalo de Troia, os trabalhos de Hércules, Rômulo e Remo. Muitos também estarão habituados a romances e brigas sem fim entre deuses e mortais (as conquistas amorosas de Zeus, por exemplo), à obra *Metamorfoses*, de Ovídio, ou a Jasão em busca do Velocino de Ouro. Conhecemos esses mitos não apenas de textos, mas também de um imenso número de obras de arte, inclusive esculturas e (no caso da mitologia grega) pinturas em vasos.

A primeira geração de deuses, na mitologia grega, era formada de seres primitivos, sem forma concreta. Eles incluem Caos, Eros e Gaia (Terra), e raramente são representados na arte. Essas divindades geraram os Titãs (bem como uma série de monstros), dois dos quais – Cronos e Reia – eram os pais de Zeus e seus irmãos. Com o tempo, Zeus destronou seu pai, levando ao domínio dos olímpicos, o panteão "clássico" dos doze deuses principais (Zeus, Hera, Poseidon, Deméter, Atena, Dioniso, Apolo, Ártemis, Ares, Afrodite, Hefesto e Hermes). Eles se tornaram, a partir de então, imortais e imutáveis. E deram origem, unindo-se entre eles (e aos mortais) a uma surpreendente gama de outras divindades, semideuses e outros espíritos – assim como aos próprios humanos.

As origens da humanidade são atribuídas a vários personagens, incluindo Zeus e Prometeu. Ela sofre uma progressão descendente ao longo das Idades do Ouro, Prata, Bronze, Heroica e Idade do Ferro. A Idade Heroica é a época da Guerra de Troia, um evento determinante na mitologia grega. Nessa epopeia, relatada por Homero na *Ilíada* e na *Odisseia*, uma aliança de cidades-Estados gregas dirige-se a Troia para resgatar Helena, o que resulta em um conflito de dez anos, no qual os deuses também tomam partido. Terminada a guerra, a *Odisseia* conta a história do retorno de Ulisses (Odisseu) para casa.

De modo geral, a concepção grega do mundo é repleta de magia: tudo pode acontecer (inclusive para os deuses), as aparências são enganosas e estão em constante mudança. Uma alegoria comum é a do herói combatendo um monstro, como Teseu e o Minotauro, Jasão e o dragão, Édipo e a Esfinge, ou Héracles e a Hidra.

Com frequência, os componentes essenciais da mitologia romana diferem dos da mitologia grega apenas no nome: Zeus torna-se Júpiter, Ares torna-se Marte, Hera torna-se Juno, Afrodite torna-se Vênus e assim por diante. No entanto, ocorreram algumas inovações importantes, e as versões romanas dos deuses gregos, em certa medida, também incorporaram elementos da religião dos antigos etruscos. A mitologia romana era igualmente influenciada pelas vastas conquistas dos romanos, o que levou à adoção de várias divindades de outras regiões: o culto de Cibele, por exemplo, foi uma significativa importação do Oriente Próximo. O mito da fundação de Roma – a história de Rômulo e Remo – era, sem dúvida, específico do império; contudo, o imperador Augusto encomendou a Virgílio a composição da *Eneida*, em que o poeta rastreou as origens de Roma desde o príncipe troiano Eneias. De acordo com essa versão dos acontecimentos, Eneias escapou de Troia no momento da vitória dos gregos, navegou pelo Mediterrâneo durante vários anos (no estilo de Ulisses) e acabou chegando à Itália, onde seu filho fundou Roma.

A mitologia greco-romana parece ter influenciado o mito celta e, provavelmente, o mito nórdico, em particular quanto ao domínio do panteão pelo deus do trovão (Zeus/Júpiter, Taranis ou Thor).

Textos-chave: *Teogonia*, de Hesíodo; *Ilíada* e *Odisseia*, de Homero; *Metamorfoses*, de Ovídio; *Eneida*, de Virgílio.

ÁRVORE GENEALÓGICA DOS DEUSES GREGOS

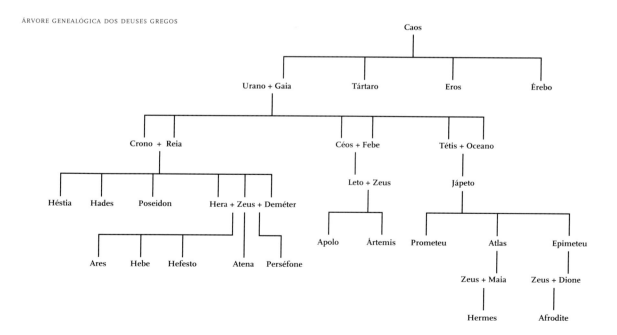

Mitologia hindu

O hinduísmo é praticado principalmente nas atuais Índia e Bali. Ele tem sua raiz na religião do período védico, que é baseada em quatro textos, escritos mediante revelação divina, chamados *Vedas*, os quais datam do segundo milênio a.C.

Os *Vedas* descrevem vários mitos de criação, dentre eles o de Purusha, o primeiro homem, que foi desmembrado para formar o universo inteiro, inclusive os deuses. Outro mito de origem fala de um ovo dourado, a partir do qual a criação eclodiu. Não obstante, a criação é cíclica, para sempre se reinventando durante períodos extraordinariamente longos.

Existem, efetivamente, três deuses principais no hinduísmo: Brama (o Criador), Vishnu (o Mantenedor) e Shiva (o Destruidor). Cada um deles pode ter muitos avatares e formas alternativas, permitindo-lhes aparecer em diferentes cenários. Em muitos aspectos, são todos manifestações de Brâman, a consciência única e divina. Os três deuses principais possuem, cada um, uma consorte (Lakshmi, Parvati e Sarasvati, respectivamente), e cada uma delas também tem diversos avatares, incluindo as figuras de Durga e Kali. Há também divindades menos importantes, ainda que populares, incluindo Agni, o deus do fogo, e Ganesha, o deus com cabeça de elefante. De maneira geral, os papéis dos deuses são menos rígidos que na mitologia grega. Do lado do mal estão os *asuras*, que, apesar de demônios, podem ser surpreendentemente piedosos.

Dentro desse quadro imenso e abrangente, há espaço para eventos notáveis: por exemplo, a Agitação do Oceano de Leite, que deuses e demônios empreenderam conjuntamente com o fim de obter o elixir da imortalidade. Durante essa tarefa, Lakshmi, a deusa da boa sorte e da luz, surgiu; ela é celebrada hoje em dia no festival de Diwali. Outra história conta sobre um dilúvio que cobriu a Terra, a qual foi então resgatada por Vishnu na forma de um javali gigante, que a empurrou para cima.

Há dois épicos de importância fundamental no hinduísmo: o *Ramáiana* e o *Mahabharata*. Este último, que contém o famoso e instrutivo *Bagavadguitá*, conta a história da guerra entre duas famílias – em essência, um conflito entre o bem e o mal. O resultado da batalha final em Kurukshetra é determinado por Krishna (um avatar de Vishnu), assim como os deuses gregos foram decisivos em Troia.

Textos-chave: a coleção dos escritos conhecidos como *Vedas*, bem como o *Mahabharata* e o *Ramáiana*.

Mitologia judaico-cristã

Por causa de suas origens geográficas no Oriente Próximo, as tradições do judaísmo e do cristianismo foram ambas fortemente influenciadas pelas mitologias egípcia, mesopotâmica, grega, cananeia e persa. Assim como o islamismo, com o qual essas tradições estão relacionadas, ambas são religiões ativas.

O Antigo Testamento descreve como a Terra e o universo foram criados, e como a Terra foi povoada. O relato inclui um primeiro confronto entre o bem e o mal na história de Adão e Eva, bem como entre seus filhos, Caim e Abel. Depois de algumas gerações, Deus, decepcionado com sua criação, decidiu destruir toda a humanidade, com exceção de Noé e sua família. O Antigo Testamento também oferece uma justificativa para o surgimento de línguas diferentes (a história da Torre de Babel) e explica por que os humanos morrem em uma idade específica. O texto inclusive estabelece leis, na forma dos Dez Mandamentos. Entre suas muitas histórias, a Bíblia fala do cativeiro dos judeus no Egito e sua luta para alcançar a Terra Prometida, sob o comando de Moisés.

O Novo Testamento conta a história de Jesus Cristo, figura do herói arquetípico. Nascido da Virgem Maria, ele realizou uma série de milagres (caminhando sobre as águas, ressuscitando os mortos, transformando água em vinho). Ele, por fim, sacrificou-se mediante crucificação a fim de absolver a humanidade de seus pecados, antes de voltar à vida e subir ao céu. Segundo algumas tradições, antes de sua ressurreição ele desceu ao mundo inferior para libertar as almas dos que haviam morrido em épocas anteriores.

A concepção cristã tradicional do universo admite três níveis: o mundo mortal, com o céu acima e o inferno abaixo. O inferno é o reino de Satã, um anjo caído que mais tarde tentou Jesus Cristo. O Novo Testamento termina com a visão de são João de Patmos do fim do mundo, que inclui a derrota final de Satã e o Juízo Final dos vivos e dos mortos.

A mitologia pós-bíblica concentra-se nas lendas dos santos, alguns dos quais efetuavam milagres ou combatiam monstros – como era o caso de são Jorge.

Textos-chave: A Bíblia; *A lenda dourada*, de Jacobus de Voragine.

Mitologia mesopotâmica

O termo "Mesopotâmia" refere-se à área entre os rios Tigre e Eufrates, no atual Iraque, e a uma civilização que começou ali há mais de 5 mil anos. As tradições da região abrangem as mitologias acadiana, babilônica, suméria, assíria e, até certo ponto, hitita. Existe uma grande variação regional em relação a deuses, nomes de deuses e histórias, mas, em geral, os céus refletem a organização política na Terra, e certos deuses estão vinculados a uma cidade particular. Muitos deuses são ambíguos em suas esferas de influência: Enlil, o deus do ar e da tempestade, por exemplo, também controlava a fertilidade.

De acordo com o épico acadiano *Enuma Elish*, no começo havia apenas o deus Apsu (água doce) e a deusa Tiamat (também conhecida como Nammu, a água salgada). Juntos, eles criaram os elementos básicos do mundo, mas também lutaram um com o outro. Apsu foi finalmente derrotado, enquanto Tiamat e seu exército monstruoso foram desafiados e vencidos pelo rei-deus Marduk. Marduk, então, tornou-se o primeiro rei, um triunfo da ordem sobre o caos. O corpo de Tiamat foi dividido para criar a Terra e o céu. E a nova capital de Marduk foi chamada Babilônia.

Em outros mitos de criação regionais, o crédito pela formação do universo é atribuído ao deus da água doce, Enki (o nome acadiano para Ea), que, depois de criar as diferentes partes do mundo, deu cada uma a um deus menor. Em seguida, através de uma série de coitos incestuosos, inclusive com a deusa mãe Ninhursag, o mundo passou a existir. A virilidade de Enki é uma metáfora das qualidades vivificantes da água. Os seres humanos foram criados para fazer o trabalho dos deuses e para lhes proporcionar lazer ilimitado.

Muito tempo depois, a *Epopeia de Gilgamesh* relata como Enki/Ea cansou-se da humanidade e seu ruído incessante, e decidiu destruir o mundo com um dilúvio. Um homem, Utnapishtim, foi escolhido para ser salvo.

Posteriormente, a mitologia persa, que influenciou a religião zoroastriana, diferenciou-se significativamente e centrou-se nas figuras de Aúra-Masda (deus do bem e da luz) e Arimã (deus das trevas). No panteão zoroastriano, Mitra é a divindade mais conhecida, um deus de alianças que mais tarde foi associado ao deus romano Apolo. A coletânea mais famosa da mitologia persa é provavelmente o *Shahnameh*, de cerca de 1000 d.C., que contém a lenda do herói Rostam.

Textos-chave: a *Epopeia de Gilgamesh* é muitas vezes referida como o primeiro épico do mundo, e conta a história do herói Gilgamesh em sua busca pela imortalidade. Veja também o *Enuma Elish*. Quanto à lenda persa, o *Shahnameh* é um excelente compêndio.

ÁRVORE GENEALÓGICA DOS DEUSES MESOPOTÂMICOS

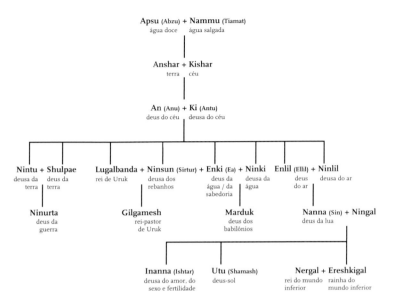

Mitologia nativo-americana

Por toda a América do Norte, do Texas ao Canadá, a mitologia nativo-americana reflete as distintas tradições de centenas de tribos – Hopi, Sioux, Navajo e Cherokee, para citar algumas – que antes ocupavam a Terra. Para os não nativos americanos, o principal obstáculo para a compreensão dessa mitologia é a ausência de textos escritos.

De todo modo, é possível detectar alguns elementos comuns. A mitologia nativo-americana coloca grande ênfase no papel da natureza e reflete a crença de que todas as coisas – até mesmo pedras e rios – têm um espírito. A natureza é sagrada e a paisagem, pontilhada de lugares santos – fontes, montanhas, rios, cânions – que possuem um significado especial. Os animais são vistos como os ancestrais dos humanos.

Os mitos cosmológicos nativo-americanos tendem a assumir que o universo se originou das águas, e muitas tribos contam histórias envolvendo mergulhadores primordiais, criaturas humildes que lentamente trazem a terra para a superfície. Em outras tradições, a função de criador é dada à Avó Aranha, que conduziu as pessoas de um mundo anterior ao atual (a existência de múltiplos mundos é uma característica comum dos mitos nativo-americanos). É revelador que os deuses principais – normalmente o Pai Celeste e a Mãe Terra – raramente se expõem, mesmo nos mitos de criação: eles frequentemente parecem muito distantes da vida cotidiana.

A mitologia nativo-americana é notável por seu grande número de malandros, os principais sendo o Corvo e o Coiote. Esses personagens, às vezes cômicos, outras vezes quase perversos, sentem prazer em inverter situações e, na maioria das vezes, são fortemente sexualizados. Sua popularidade fez deles protagonistas de muitas aventuras.

Mitologia nórdica

Até o século XI, quando foi substituído pelo cristianismo, o sistema de crenças nórdico podia ser encontrado em todo o norte da Europa: dos anglos-saxões, dinamarqueses e jutos, aos noruegueses, suecos e islandeses. De fato, é difícil distinguir o panteão nórdico do "germânico", mais geral.

De acordo com a mitologia nórdica, o universo compreendia nove mundos, dos quais o mais importante (para os humanos) é Midgard, o mundo da vida diária. Este é cercado por um mar habitado pela Serpente de Midgard. Os nove mundos estão dispostos em torno de Yggdrasil, a Árvore do Mundo.

O líder dos deuses principais, conhecidos coletivamente como Aesir, era Odin, que vivia em Valhala. Entre outras divindades importantes figuravam Thor (filho de Odin), Loki, Frey e Balder. Loki, embora deus, gerou diversos monstros, e muitas vezes traía os deuses ou lhes pregava peças. As forças do caos eram representadas pelos Gigantes de Gelo, que lutavam contra os Aesir. Havia também uma segunda raça de deuses, os Vanir, mas seu perfil mitológico é menos significativo.

A mitologia nórdica é dominada por profecias. Odin, por exemplo, ficou aterrorizado com a profecia de que seria devorado pelo lobo gigante Fenrir, o que o faria comandar um exército de soldados mortos. A destruição dos deuses é vista como inevitável: durante o Ragnarok (juízo final dos deuses), todos irão reunir-se para lutar até a morte. A Terra flamejante afundará no mar, mas renascerá e será governada pelo deus da paz, Balder.

Textos-chave: A *Edda poética* e a *Edda prosaica*, esta última uma compilação do historiador islandês Snorri Sturluson, que reúne uma série de mitos antigos.

ÁRVORE GENEALÓGICA DOS DEUSES NÓRDICOS

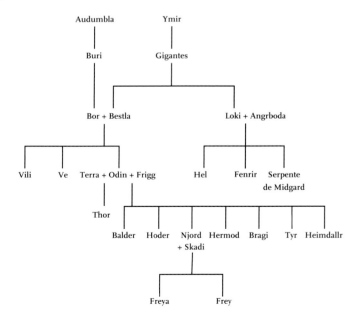

LEITURA COMPLEMENTAR

|||||||||||||||||||||||||||||||||||||||||||||||||||||||||||||||||||||||||||||||||||

Assim como os mitos podem sofrer grandes variações, mesmo dentro de uma única cultura, igualmente podem variar as interpretações. A relação seguinte consiste de publicações, de livros de histórias e estudos acadêmicos que oferecem diferentes pontos de vista.

GERAL

ADKINSON, Robert. *Sacred Symbols: Peoples, Religions, Mysteries*. Londres: Thames & Hudson, 2009.

ARMSTRONG, Karen. *A Short History of Myth*. Edimburgo: Canongate, 2006.

CAMPBELL, Joseph. *The Hero with a Thousand Faces*. Princeton: Princeton University Press, 2004.

DELL, Christopher. *Monsters: A Bestiary of the Bizarre*. Londres: Thames & Hudson, 2010.

DOTY, William G. (org.). *World Mythology: Myths and Legends of the World Brought to Life*. Nova York: Barnes & Noble, 2002.

KIRK, Geoffrey. *Myth: Its Meaning and Function in Ancient and Other Cultures*. Berkeley: 1970.

LEEMING, David. *The Oxford Companion to World Mythology*. Oxford: Oxford University Press, 2005

LITTLETON, C. Scott (org.). *Mythology: The Illustrated Anthology of World Myth and Storytelling*. Londres: Duncan Baird, 2002.

PUHVEL, Jaan. *Comparative Mythology*. Baltimore: John Hopkins University Press, 1989.

SPENCE, Lewis, *Introduction to Mythology*. Guernsey: Studio Editions, 1994.

MITOLOGIA AFRICANA

BELCHER, Stephen (org.). *African Myths of Origin*. Londres: Penguin, 2005.

COURLANDER, Harold. *Tales of Yoruba: Gods and Heroes*. Nova York: Original Publications, 1995.

KARADE, Baba Ifa. *The Handbook of Yoruba Religious Concepts*. York Beach: Weiser, 1994.

LYNCH, Patricia Ann; ROBERTS, Jeremy. *African Mythology, A to Z*. Londres: Chelsea House Publishers, 2010.

MBITU, Ngangur; PRIME, Ranchor. *Essential African Mythology: Stories That Change the World*. Londres: Thorsons, 1997.

SCHEUB, Harold. *A Dictionary of African Mythology*. Nova York: Oxford University Press, 2000.

MITOLOGIA CELTA

COTTERELL, Arthur. *Mythology of the Celts: Myths and Legends of the Celtic World*. Londres: Southwater, 2007.

ELLIS, Peter Berresford *The Mammoth Book of Celtic Myths and Legends*. Londres: Robinson, 2002.

GREEN, Miranda. *Animals in Celtic Life and Myth*. Londres: Routledge, 1992.

GREEN, Miranda J. *Dictionary of Celtic Myth and Legend*. Londres: Thames & Hudson, 1992.

JAMES, Simon. *Exploring the World of the Celts*. Londres: Thames & Hudson, 2005.

The Mabinogion, trad. Sioned Davies. Nova York e Oxford: Oxford University Press, 2008.

MACKILLOP, James. *Dictionary of Celtic Mythology*. Oxford: Oxford University Press, 1998.

MATTHEWS, John. *The Grail: Quest for the Eternal*. Londres: Thames & Hudson, 1981.

SNYDER, Christopher. *Exploring the World of King Arthur*. Londres: Thames & Hudson, 2011.

MITOLOGIA CENTRO-AMERICANA E SUL-AMERICANA

BERRIN, K.; PASZTORY, E. (orgs.). *Teotihuacan: Art from the City of the Gods*. Londres: Thames & Hudson, 1993.

JONES, David M. *Mythology of the Aztecs and Maya*. Londres: Southwater, 2007.

MILLER, Mary Ellen; TRAUBE, Karl. *An Illustrated Dictionary of the Gods and Symbols of Ancient Mexico and the Maya*. Londres: Thames & Hudson, 1997.

Popol Vuh, trad. Dennis Tedlock. Nova York: Simon & Schuster, 1996.

STEELE, Paul Richard. *Handbook of Inca Mythology*. Santa Barbara: ABC-CLIO, 2004.

TAUBE, Karl. *Aztec and Maya Myths*. Austin: University of Texas Press, 1993.

MITOLOGIA DO SUDESTE ASIÁTICO

ASHKENAZI, Michael. *Handbook of Japanese Mythology*. Nova York: Oxford University Press, 2008.

BIRRELL, Anne M. *Chinese Mythology: An Introduction*. Baltimore e Londres: Johns Hopkins University Press, 1999.

CHENG, Manchao. *The Origin of Chinese Deities*. Pequim: Foreign Language Press, 1995.

DAVIS, F. Hadland. *Myths and Legends of Japan*. Nova York: Dover, 1992.

HWANG, P.-G. *Korean Myths and Folk Legends*. Fremont: Jain, 2006.

LEEMING, David. *A Dictionary of Asian Mythology*. Oxford: Oxford University Press, 2001.

LEWIS, M. *The Flood Myths of Early China*. Albany: State University of New York Press, 2006.

STEVENS, Keith G. *Chinese Mythological Gods*. Nova York: Oxford University Press, 2000.

YANG, Lihui; AN, Deming; TURNER, Jessica Anderson. *Handbook of Chinese Mythology (Handbooks of World Mythology)*. Nova York: Oxford University Press, 2008.

YODA, Hiroko; ALT, Matt. *Yokai Attack!: The Japanese Monster Survival Guide*. Tóquio: Kodansha International, 2008.

WU CH'ENG-EN. *Monkey*, trad. Arthur Waley. Londres: Penguin, 2005.

MITOLOGIA EGÍPCIA

The Egyptian Book of the Dead, trad. E. A. Wallis Budge. Londres: Penguin, 2008.

HART, G. *Egyptian Myths*. Londres: British Museum Press, 1990.

LURKER, Manfred. *An Illustrated Dictionary of the Gods and Symbols of Ancient Egypt*. Londres: Thames & Hudson, 1982.

PINCH, Geraldine. *Egyptian Mythology: A Guide to the Gods, Goddesses, and Traditions of Ancient Egypt*. Nova York: Oxford University Press, 2004.

TYLDESLEY, Joyce. *The Penguin Book of Myths and Legends of Ancient Egypt*. Londres: Penguin, 2010.

WILKINSON, Richard H. *The Complete Gods and Goddesses of Ancient Egypt*. Londres: Thames & Hudson, 2003.

MITOLOGIA GREGA E ROMANA

BURN, Lucilla. *Greek Myths*. Londres: British Museum Press, 1990.

BUXTON, Richard. *Imaginary Greece: The Contexts of Mythology*. Cambridge: Cambridge University Press, 1994.

_____. *The Complete World of Greek Mythology*. Londres: Thames & Hudson, 2004.

DAY, Malcolm. *100 Characters from Classical Mythology*. Nova York: Barron's, 2007.

HESÍODO. *Theogony and Works and Days*, trad. M. L. West. Londres: Penguin, 2008.

HOMERO. *The Iliad*, trad. E. V. Rieu. Londres e Nova York: Penguin, 2003.

HOMERO. *The Odyssey*, trad. E. V. Rieu. Londres e Nova York: Penguin, 2006.

KERÉNYI, C. *The Gods of the Greeks*. Londres: Thames & Hudson, 1951.

_____. *The Heroes of the Greeks*. Londres: Thames & Hudson, 1997

KERSHAW, Stephen P. *The Greek Myths: Gods, Monsters, Heroes and the Origins of Storytelling*. Londres: Robinson, 2007.

MATYSZAK, Philip. *The Greek and Roman Myths: A Guide to the Classical Stories*. Londres: Thames & Hudson, 2010.

OVÍDIO. *Metamorphoses*, trad. David Raeburn. Londres: Penguin, 2004.

POWELL, Barry B. *Classical Myth*. Boston e Londres: Pearson, 2012.

MITOLOGIA INDIANA E HINDU

The Bhagavad Gita, trad. W. J. Johnson. Oxford: Oxford University Press, 2008.

BONNEFOY, Yves (org.). *Asian Mythologies*. Chicago: University of Chicago Press, 1993.

DALLAPICCOLA, Anna L. *Dictionary of Hindu Lore and Legend*. Londres: Thames & Hudson, 2004.

DONIGER, Wendy. *Hindu Myths: A Sourcebook*. Londres: Penguin, 2004.

DOWSON, John. *A Classical Dictionary of Hindu Mythology and Religion, Geography, History, and Literature*. Londres: Routledge, 2000.

The Mahabhrata, trad. John D. Smith. Londres: Penguin, 2009.

MITOLOGIA JUDAICO-CRISTÃ

BATTO, Bernard Frank. *Slaying the Dragon: Mythmaking in the Biblical Tradition*. Louisville: John Knox Press, 1999.

COHN, Norman. *Cosmos, Chaos, and the World to Come*. New Haven e Londres: Yale University Press, 2001.

GREENBERG, Gary. *101 Myths of the Bible: How Ancient Scribes Invented Biblical History*. Naperville: Sourcebooks, 2002.

LEEMING, David. *Jealous Gods and Chosen People: The Mythology of the Middle East*. Nova York: Oxford University Press, 2004.

MITOLOGIA DO ORIENTE DO MÉDIO E DO ORIENTE PRÓXIMO

BLACK, Jeremy; GREEN, Anthony. *Gods, Demons and Symbols of Ancient Mesopotamia*. Londres: British Museum Press, 1992.

BRANDON, S. G. F. *Creation Legends of the Ancient Near East*. Londres: Hodder and Stoughton, 1963.

DALLEY, Stephanie. *Myths from Mesopotamia: Creation, The Flood, Gilgamesh, and Others*. Oxford: Oxford University Press, 2008.

The Epic of Gilgamesh, trad. Andrew George. London: Penguin, 2003.

KRAMER, Samuel Noah. *Sumerian Mythology: A Study of Spiritual and Literary Achievement in the Third Millennium BC*. Filadélfia: University of Pennsylvania Press, 1998.

WOLKSTEIN, Diana; KRAMER, Samuel Noah. *Inanna, Queen of Heaven and Earth*. Nova York: Harper, 1983.

MITOLOGIA NATIVO-AMERICANA

JONES, David. *The Illustrated Encyclopedia of American Indian Mythology: Legends, Gods and Spirits of North, Central and South America*. Leicester: Anness, 2010

LEEMING, David; PAGE, Jake. *The Mythology of Native North America*. Norman: University of Oklahoma Press, 2000.

ORTIZ, Alfonso; ERDOES, Richard. *American Indian Myths and Legends*. Londres: Pimlico, 1997.

_____. *American Indian Trickster Tales*. Nova York: Penguin, 1998.

ZITKALA-SA; DAVIDSON, Cathy N.; NORRIS, Ada. *American Indian Stories, Legends, and Other Writings*. Londres: Penguin, 2003.

MITOLOGIA NÓRDICA

ROSS, Margaret Clunies. *Prolonged Echoes: Volume 1: Old Norse Myths in Medieval Northern Society*. Odense: University Press of Southern Denmark, 1995.

DAVIDSON, H. R. Ellis. *Gods and Myths of Northern Europe*. Harmondsworth: Penguin, 1971.

LARRINGTON, Carolyne (trad.). *The Poetic Edda*. Oxford: Oxford University Press, 1996.

LINDOW, John. *Norse Mythology: A Guide to the Gods, Heroes, Rituals, and Beliefs*. Oxford: Oxford University Press, 2002.

RELAÇÃO DE ILUSTRAÇÕES

173 Cobertor navajo, século XIX. Arquivo Werner Forman/Coleção Schindler, Nova York.

174e Relevo de Gilgamesh do Palácio de Sargão II, Dur-Sharrukin, século VIII a.C. Musée du Louvre, Paris.

174d Chen Jiamo, xilogravura de uma série sobre os lendários fundadores da medicina chinesa, 1573-1620. Wellcome Library, Londres.

175 Museu Gahoe, Jongno-gu, Coreia do Sul/The Bridgeman Art Library.

176 Pintura em seda, c. 983, das Grutas de Mogao, Dunhuang, China.

177 Gravura, século XIX.

178a Código de Hamurábi, c. 1700 a.C. Musée du Louvre, Paris.

178b Estampa de um selo cilíndrico, Acadiana, 2340-2180 a.C. Arquivo Werner Forman/British Museum, Londres.

179 Alegoria da transitoriedade da vida, gravura flamenca colorida, c. 1480-1490.

180 Escola Kangra, século XVIII. C. L. Coleção Bharany, Nova Déli.

181 De uma gravura persa, fol. 23d, final do século XVII. Wellcome Library, Londres.

182 Jacques-Louis David, Vênus desarmando Marte, 1824. Musées Royaux des Beaux-Arts de Belgique, Bruxelas.

183 Cromolitogravura, século XX. Wellcome Library, Londres.

184e Figura asteca de Xiuhtecuhtli. Arquivo Werner Forman.

184d Estátua de Angkor Borei, Camboja, século VII. Musée Guimet, Paris / Foto: Vassil.

185 Charles Etienne Pierre Motte, inspirado em Louis Thomas Bardel, Agni, deus do fogo, século XIX. Litogravura. Coleção particular/ The Stapleton Collection/The Bridgeman Art Library.

186 Do Códice Borbônico asteca, início do século XVI. Bibliothèque de l'Assemblée Nationale, Paris.

187 Friedrich Heinrich Fuger, Prometeu trazendo o fogo à humanidade, 1817. Neue Galerie, Kassel. Museumslandschaft Hessen Kassel/ Ute Brunzel/The Bridgeman Art Library.

188e Estátua de Xochipilli, c. 1428 - 1521. Museo Nacional de Antropología, Cidade do México. Foto: Michel Zabe/ AZA/INAH/The Bridgeman Art Library.

188d Estátua, século XVIII. American Museum of Natural History, Nova York. Foto: Photo Boltin Picture Library/The Bridgeman Art Library.

189 Lekythos ático de fundo branco, de Douris, c. 500 a.C. Cleveland Museum of Art.

190 Francesco Bartolozzi, inspirado em Bernardino Luti, Narciso e Eco, 1791. Gravura. Wellcome Library, Londres.

191 Gravura em estilo mughal, Farrukhabad, c. 1760-1770. Bodleian Library, Oxford, Pers b1 fol. 15-a.

192 Gamela de madeira, Nigéria, 1880-1920. Science Museum, Londres/ Wellcome Images.

193 Hokusai, Os sete deuses da sorte, início do século XIX. Xilogravura colorida.

194 Krishna e Radha dançando, Miniatura rajastani, século XVII.

195 François Gérard, Ossian evoca os espíritos às margens do Lora, c. 1811. Hamburger Kunsthalle, Hamburgo/ The Bridgeman Art Library.

196e Rei Davi da rosácea do braço norte, Catedral de Chartres, século XIII. Foto: © Painton Cowen.

196d Petr Vasilevich Basin, Mársias e Olimpo, 1821. Museu Russo, São Petersburgo.

197 Jacques Philippe Lebas inspirado em Abraão Hondius, Orfeu encantando os animais com música, meados do século XVIII. Gravura. Wellcome Library, Londres.

198 Robert von Spalart, "Cerimônias do culto de Ísis", em Tableau historique des costumes, des moeurs et des usages des principaux peuples de l'antiquité et du moyen âge (Metz, 1810), p. 113. Wellcome Library, Londres.

199 Michelangelo Merisi da Caravaggio, O sacrifício de Isaac, 1603. Galleria degli Uffizi, Florença.

200 Jan Cossiers, Júpiter e Licaonte, c. 1636-1638. Museo del Prado, Madri.

201 Jacob Peter Gowy, A queda de Ícaro, 1650. Museo del Prado, Madri.

202a Charles Grignion, Sísifo, Íxion e Tântalo, 1720. Gravura. Wellcome Library, Londres.

202b A estela de Snaptum, c. 1000. Moesgård Museum, Dinamarca.

203 Seguidor de Hieronymus Bosch, Um anjo conduzindo uma alma ao Inferno, c. 1540. Wellcome Library, Londres.

204-205 Jacopo Tintoretto, A criação dos animais, c. 1550. Galleria dell'Accademia, Veneza/ Cameraphoto Arte Venezia/The Bridgeman Art Library.

206 Meister Bertram de Minden, Criação dos animais, 1383. Hamburger Kunsthalle, Hamburgo.

207 Taça com fundo branco de Rhodes, c. 470 a.C. British Museum, Londres.

208 Pintura aborígine de criaturas do Tempo dos Sonhos. World Religions Photo Library/The Bridgeman Art Library.

209 Em Anvarisuhail i, de Husain Va'iz Kashifi. British Library, Londres, Add 18579, fol. f 104. Foto: akg-images/ Erich Lessing.

210 Busto romano em mármore cinzento, c. 131-138 d.C. Museo Gregoriano Egiziano, Vaticano, Roma. Foto: Marie-Lan Nguyen.

211 Guache, século XIX. Wellcome Library, Londres.

212 Pintura em ataúde mostrando um touro, egípcio. British Museum, Londres.

213a William Blake, "O minotauro", ilustração do Inferno de Dante, c. 1826-1827.

213b Relevo em tijolo vítreo colorido, c. 580 a.C. Vorderasiatisches Museum, Staatliche Museen, Berlim.

214 Ravi Varma, A vaca sagrada, século XIX. Cromolitogravura. Wellcome Library, Londres.

215 Afresco romano da Casa dos Vettii, Pompeia.

216 Sansin, um espírito da montanha, com um tigre. Mural de Shinwonsa

em Chungchong Namdo, Coreia do Sul. Foto: Mark de Fraeye/Wellcome Images, Londres.

217 Prato encontrado em Ai Khanoum, século II a.C. Musée Guimet, Paris.

218a Decalque colorido de litogravura, século XIX. Wellcome Library, Londres.

218be Desenho feito em Nínive por Henry Layards, 1845. Wellcome Library, Londres.

218bd Guerreiro jaguar, inspirado em uma gravura asteca do século XVI.

219 Guache, século XIX. Wellcome Library, Londres.

220a Adorno de cabeça do Pássaro-Trovão, cultura Kwakiutl, costa noroeste da América. Museum of Anthropology, University of British Columbia, Vancouver.

220b Lintel, em Prasat Kok Po A, Angkor, Camboja, final do século IX. Musée Guimet, Paris. Foto: Vassil.

221 Facsímile do Códice Florentino, 1540-85, vol. 2, fol. 21L. Originalmente na Biblioteca Medicea Laurenziana, Florença.

222 Taça com figuras negras de Naukratis, 560-550 a.C. Musée du Louvre, Paris.

223 Tambor cerimonial pawnee. Arquivo Werner Forman/Field Museum of Natural History, Chicago.

224 Christoph Murer, O profeta Elias alimentado por um corvo, 1622. Gravura. Wellcome Library, Londres.

225 De uma gravura islandesa da Edda de Melsted, século XVIII. Instituto Árni Magnússon, Reykjávik/The Bridgeman Art Library.

226 Mosaico de San Marco, Veneza, séculos XII-XIII. Arquivo Werner Forman.

227a Da costa noroeste da América. Wellcome Library, Londres.

227b Escultura esquimó de Tupilaq, BM 1944 Am 2.6. De Angmagssalik, Groenlândia. Arquivo Werner Forman/British Museum, Londres.

228 Pieter Paul Rubens, Juno e Argos, 1611. Wallraf-Richartz Museum, Colônia.

229 Da Bíblia Hispalense, Toledo, século X. Biblioteca Nacional, Madri.

230 Gustave Doré, O pavão queixa-se a Juno, c. 1870. Gravura.

231 Ravi Varma, Sarasvati com sua cítara e um pavão, século XIX. Cromolitogravura. Wellcome Library, Londres.

232a Do Livro dos Mortos de Nu, 18ª dinastia. Wellcome Library, Londres.

232b Figura nepalesa de Garuda. Arquivo Werner Forman/antiga Coleção Philip Goldman, Londres.

233 Entalhe da carruagem de Oseberg, século IX. Vikingsskipethuset, Oslo.

234 Escola Guler, Vishnu, Narayana e Lakshmi, c. 1760. Coleção particular.

235 Vitral, início do século XVI. Catedral Châlons-en-Champagne. Foto: © Painton Cowen.

236 Lorenz Frolich, "Thor descobre que sua cabra está manca", em Karl Gjellerup, Den aeldre Eddas Gudesange (Copenhague, 1895), p. 39.

237 Nicolas Poussin, O triunfo de Pã, 1636. National Gallery, Londres.

238 Peter Paul Rubens, Belerofonte cavalga Pégaso e combate a Quimera, 1635.

Museu Bonnat, Bayonne.

239 Gustave Moreau, Diógenes Devorado por seus Cavalos, 1865. Museu de Belas Artes, Rouen / Giraudon / The Bridgeman Art Library.

240 De uma gravura persa do Shahnameh de Ferdowsi, século XVII. Wellcome Library, Londres.

241l Adereço de cabeça em madeira da cultura Nootka, Ilha de Vancouver. Arquivo Werner Forman / Museu de Arte de Denver.

241r De uma gravura islandesa, século XVIII. Biblioteca Real, Copenhague.

242 Estátua asteca de Macuilxochitl, c. 1500. Museu Nacional de Antropologia, Cidade do México / Foto: Michel Zabe / AZA INAH / The Bridgeman Art Library.

243a Vishnu como seu avatar Kurma, a tartaruga, século XIX. Wellcome Library, Londres.

243r Escultura de cerâmica. Coleção particular. Foto: Biblioteca Boltin Picture / The Bridgeman Art Library.

243l Amuleto de contas sioux em forma de tartaruga, c. 1880-1920. Wellcome Library, Londres.

244 De uma edição da Cosmografia Universal de Sebastian Münster século XVI.

245 Cílice ático com figuras vermelhas, c. 480-470 a.C. Museu Gregoriano Egípcio, Vaticano, Roma.

246a Giovanni Falconetto, Monte Hélicon com Pégaso, o Centauro Quíron e a Fonte Hipocrene, 1520. Afresco. Palácio do Arco, Mântua.

246b Do Mundo Subterrâneo de Athanasius Kircher (Amsterdã, 1665).

246l Centauro de terracota, final do século VIII a.C. Coleções Estatais de Antiguidades, Munique. Foto: Bibi Saint-Pol.

247 Da Pesagem do Coração, o Livro dos Mortos de Ani, c. 1300 a.C. British Museum, Londres.

248 Jacopo Tintoretto, Minerva e Aracne, c. 1475-1485. Galeria dos Ofícios, Florença.

248r Shiva e Ganesha, aquarela. Wellcome Library, Londres.

249 Cromolitogravura, 1883. Wellcome Library, Londres.

250a Lucas Cranach, o Velho, Diana e Actéon, 1518. Ateneu Wadsworth, Hartford, Massachusetts.

250b Pintura restaurada de Ulisses e Circe.

251 Francesco Parmigianino, A Morte de Actéon, 1524. Afresco. Castelo Sanvitale de Fontanellato, Emília-Romanha.

252-253 Aquarela punjabi, século XIX. Museu Victoria & Albert, Londres.

254 Nicolas Poussin, A Adoração do Bezerro de Ouro, 1633-1634. National Gallery, Londres.

255 Pingente misteca, Zaachila, Oaxaca, c. 1300-1521. Museu Nacional de Antropologia, Cidade do México. Foto: Biblioteca Boltin Picture / The Bridgeman Art Library.

256 O trabalho das abelhas, século XVII. Gravura. Wellcome Library, Londres.

257 Do Códice Borbônico asteca, início do século XVI. Biblioteca da Assembleia Nacional, Paris / Arquivo Charmet / The Bridgeman Art Library.

ÍNDICE
||||||||||||||||||||